Sous la direction de
Geneviève Ouellet
General editor

Commissaires / Curators
Sylvette Babin
Marcel Blouin
Geneviève Ouellet

Artistes / Artists
Thierry Arcand-Bossé
Griffith Aaron Baker
Dean Baldwin
Ron Benner
Michel Boulanger
Cosimo Cavallaro
Cédule 40
Daniel Corbeil
BBB Johannes Deimling
Nikolaus Geyrhalter
Joseph Kohnke
Simon-Pier Lemelin
Shelly Low
Troy David Ouellette

Auteurs / Authors
Sylvette Babin
Marcel Blouin
William Jeffett
Geneviève Ouellet
Richard Purdy

Orange
Il Nostro Gusto
2009

Table des matières

Table of Contents

[1] Thierry Arcand-Bossé. *Kidnapping de symbole*, 2009

Orange
Une question
de goût

Mot des directeurs

En 2009, ORANGE, L'événement d'art actuel de Saint-Hyacinthe en était à sa troisième édition. Six ans déjà se sont écoulés depuis la première édition, qui avait surpris le public par l'originalité de son concept : une rencontre entre l'art contemporain et l'agroalimentaire. Toujours mené par une volonté de créer un laboratoire de réflexion sur l'art actuel réalisé par des artistes professionnels qui traitent de notre rapport à l'agroalimentaire, ORANGE 2009 s'est tenu du 11 septembre au 25 octobre et a rassemblé des artistes venus du Québec, du Canada, des États-Unis, de l'Allemagne et de l'Autriche.

L'agroalimentaire est un sujet riche pour quiconque souhaite en explorer les multiples facettes. La production, la transformation, la distribution et la consommation des aliments comportent une dimension sociopolitique et économique indéniable. Il existe de plus un nombre incalculable d'attitudes – parfois très étranges – liées à l'alimentation, qui vont au-delà de la satisfaction des besoins physiologiques et qui relèvent des habitudes culturelles, de la religion, des rituels, des traits psychologiques, etc. En organisant cette triennale singulière, nous avons en outre constaté, au fil des années, que les artistes qui s'intéressent aux diverses facettes de l'agroalimentaire s'intéressent également aux aspects éthiques liés à cette thématique. Ils interpellent les visiteurs, leur demandant si nous devons changer la façon dont nous nous alimentons, si notre façon de cultiver la terre en ce XXIe siècle ne fragilise pas l'environnement et ne menace pas son équilibre, si notre manière d'élever les animaux ne devrait pas être revue. Dans le contexte des débats et des inquiétudes que soulèvent le réchauffement de la planète et les risques de pandémies, ces artistes ancrent leur propos au cœur du quotidien et de l'actualité.

Cette troisième édition de ORANGE est redevable au dévouement de nombreuses personnes, ainsi qu'à la participation de plusieurs organismes et d'instances subventionnaires. C'est pourquoi l'équipe de ORANGE tient à remercier tous ceux et celles qui nous ont soutenus et qui, comme nous, croient que c'est de l'audace, de l'éveil et de la vigilance que surgissent les fondements d'une société à la fois consciente de son histoire et tournée vers l'avenir. Merci à EXPRESSION, Centre d'exposition de Saint-Hyacinthe, principal collaborateur de l'événement. Merci aux organismes subventionnaires de la Montérégie Est, du Québec et du Canada. Aussi, rappelons que sans les artistes, un tel événement n'existerait pas. Merci donc aux artistes de ORANGE 2009.

Marcel Blouin et Geneviève Ouellet
Directeurs de ORANGE, L'événement d'art
actuel de Saint-Hyacinthe

[5] Michel Boulanger. *Champ témoin. Chapitre 1. Monter*, 2008

Mot des commissaires

Parmi les artistes qui s'intéressent aux diverses facettes de l'agroalimentaire, nombreux sont ceux et celles qui se penchent également sur les aspects éthiques liés à cette thématique. L'art contemporain n'a certainement pas pour finalité de se préoccuper de morale ou d'éthique, et pourtant nous observons actuellement une tendance en ce sens. Ces artistes, à l'image d'une société elle aussi de plus en plus éprise d'éthique, nous interpellent directement en remettant en question notre façon de cultiver la terre, qui souvent fragilise l'environnement et menace son équilibre. Par extension, nos habitudes alimentaires sont également remises en question, ce qui ébranle les fondements du *pourquoi* et du *comment vivre* au quotidien. Partant de ce constat, il nous a semblé essentiel de poursuivre ces réflexions d'ordre moral et éthique sans perdre de vue les conséquences qu'elles auront sur l'esthétique des œuvres. C'est donc dans cet esprit que nous avons invité quatorze artistes à participer à l'édition 2009 de ORANGE.

Pour cette édition, nous avons délaissé quelque peu l'aliment *mis en bouche* pour nous tourner vers la provenance des denrées ou, plus précisément, vers les valeurs qui découlent des gestes posés en amont. Qu'en est-il, en effet, du sol où s'enfoncent les semences, de ces gens qui récoltent et transforment les denrées, des espèces de plante disparues en raison d'impératifs d'ordre économique, de la planète qui se réchauffe ? Étant donné que la thématique de l'agroalimentaire ne se limite pas au simple fait que la nourriture soit une denrée, les enjeux liés à cette dernière permettent d'explorer de multiples avenues et d'examiner l'identité personnelle et collective de l'individu contemporain à travers ses préoccupations, ses valeurs, ses comportements et habitudes de vie.

En suscitant la réflexion sur l'art et l'actualité, ORANGE vise à favoriser l'avancement des connaissances en arts visuels. Au-delà d'une évidence voulant que l'installation et la performance occupent une place importante dans les démarches contemporaines faisant référence à l'agroalimentaire, les commissaires tiennent à souligner le caractère polysémique des réalisations qu'ils ont sélectionnées. ORANGE – Il Nostro Gusto (qui signifie *notre goût* en italien) s'est proposé, tel un laboratoire de recherche, d'observer et d'étudier non seulement la notion d'éthique dans le flot des projections, des formes, des textures, des odeurs et des concepts proposés, mais aussi celle de l'esthétique. Parlerons-nous un jour d'un tournant dans la manière de réaliser des œuvres d'art contemporain coïncidant avec une période de notre histoire où l'humanité fut prise d'un soudain besoin de parler d'éthique et de morale ? Peut-être, mais avec cette nuance qu'il s'agit non pas nécessairement d'artistes engagés, mais plutôt d'artistes conscients, consciencieux et soucieux de leur bien-être ainsi que de celui d'autrui.

Avec le recul, cette publication, qui relate les faits marquants de ORANGE 2009, constitue, pour les commissaires et les collaborateurs qui se sont joints à nous, une analyse enrichie grâce au regard porté *a posteriori* sur la rencontre de ces pratiques. Tout particulièrement, cet ouvrage nous donne l'opportunité de dresser une série d'observations qui ont eu le temps de mûrir, considérant le temps qui s'est écoulé depuis la tenue de l'événement.

Sylvette Babin, Marcel Blouin et
Geneviève Ouellet
Commissaires de ORANGE, 3e édition

Avant-propos

Devons-nous rappeler que le musée est un véritable lieu de convergence de la pensée, de la réflexion, du plaisir et de la connaissance, et qu'il ne pourrait être qu'un simple spectateur des grands enjeux sociaux ? Il est plutôt appelé à les nourrir, à les susciter. ORANGE en est d'ailleurs le témoin. Événement novateur, s'il en est un, créé en 2003, cette manifestation artistique collective réfère à l'expérience de vie des visiteurs, les amenant en somme à questionner leurs propres pensées. Considérant que l'art a transgressé les frontières pour s'immiscer dans des champs de la sphère privée, l'expérience muséale proposée va bien au-delà de la simple contemplation. Elle se vit maintenant dans la réflexion suscitée par la mise en exposition d'un discours.

L'individu pouvant aujourd'hui exprimer des choix politiques par sa simple alimentation, ORANGE s'insère dans un contexte social en pleine mutation. Et cela n'a jamais été aussi vrai. Les œuvres présentées à l'occasion de la 3ᵉ édition de l'événement se sont unies pour proposer un éloquent regard sur notre société, sur les défis qui l'animent aujourd'hui et l'animeront demain. Scrutant nos habitudes consommatoires et leurs effets, elles ont suscité l'émergence d'une réflexion chez les visiteurs relativement aux enjeux éthiques, politiques et environnementaux liés à l'agroalimentaire. Elles ont également nourri les réflexions des commissaires et des auteurs, comme en témoigne cette publication. En présentant un discours porteur de sens et d'idéologies, tout en proposant l'adoption d'un point de vue, ORANGE aura permis à chacun de découvrir, dans les espaces parcourus et les choses vues, ce qu'il savait l'intéresser, ce à quoi il ne s'attendait pas et peut-être même plus qu'il n'espérait.

Par son exposé, la 3ᵉ édition de ORANGE a démontré, une nouvelle fois, que les artistes ne se limitent pas à la création. Ils sont d'abord des citoyens appelés à jouer un rôle proactif dans le façonnement de notre réflexion et de notre vision du monde. En proposant des créations engageantes plutôt que des œuvres d'art engagées, ils sont devenus des acteurs sociaux incontournables. Nul besoin de souligner que la réflexion des commissaires et des auteurs n'aurait pu se développer sans leur participation. Merci à ces derniers qui ont contribué au succès de cette édition et qui ont su enrichir les propos de cette publication.

Soulignons qu'un tel projet ne peut se réaliser sans l'appui de nombreux partenaires. Merci aux collaborateurs, aux membres de l'équipe qui ont mis la main à la pâte, merci aux subventionnaires de la Montérégie, du Québec et du Canada, mais également, merci à la Ville de Saint-Hyacinthe qui soutient l'événement depuis des années.

Pour ma part, la coordination de cette publication a été, une fois de plus, l'occasion de travailler avec de précieux collaborateurs. Je tiens donc à remercier Timothy Barnard, Magalie Bouthillier, Marcia Couëlle, ainsi que Colette Tougas pour leur regard critique, leur rigueur et leur exactitude. Ils ont sans conteste contribué à la qualité de cette publication. Je désire aussi exprimer ma gratitude envers Jean-François Proulx, directeur artistique, pour sa justesse et son jugement esthétique, des qualités qui ont très certainement permis de mettre en valeur le travail des artistes. Je souhaite également remercier les membres du conseil d'administration de ORANGE, qui m'ont à nouveau démontré leur confiance en acceptant ma contribution à ce fabuleux projet qu'a été cette 3ᵉ édition de l'événement. Je suis de même reconnaissante envers Marcel Blouin, qui m'a invitée à prendre part à une aventure qui s'est avérée remarquable une fois de plus.

Geneviève Ouellet

[8] Daniel Corbeil. *Étuveuse climatique*, 2004-2009

Orange
Il Nostro Gusto

Message from the Directors

In 2009, ORANGE: Contemporary Art Event of Saint-Hyacinthe had presented its third edition. Six years have passed since the first edition, when audiences of the day were caught unawares by the originality of its concept: an encounter between contemporary art and the agri-food sector. Focused as always on creating a laboratory for the ideas of professional artists who address our connections to the agri-food sector, ORANGE 2009 took place from September 11 to October 25 and featured artists from Quebec, the rest of Canada, the United States, Germany and Austria.

The agri-food sector is an abundant topic for anyone wishing to explore its various aspects. The production, transformation, distribution and consumption of foodstuffs contains an undeniable socio-political and economic dimension. There are in addition countless attitudes towards food and eating – some of them quite bizarre – which go beyond physiological needs and enter into cultural, religious, ritual, psychological and other realms. Over the years, when preparing this singular triennial, we have also remarked that those artists who are interested in various aspects of the agri-food sector are also interested in the ethical issues associated with the topic. They challenge viewers to consider whether we should not change the way we produce and consume food, whether our way of cultivating the earth in the twenty-first century is not weakening the environment and threatening its equilibrium, whether our way of raising animals should not be reconsidered. In the context of today's discussions and concerns around global warming and the risk of pandemics, these artists place their ideas at the centre of daily life and current events.

This third edition of ORANGE owed much to the dedication of countless people and the backing of many organizations and funding agencies. For this reason we here at ORANGE would like to thank all those who have supported us; they, like us, believe that it is out of boldness, alterness and vigilance that the foundations of a society both aware of its history and turned towards the future are laid. Our thanks go to EXPRESSION, Centre d'exposition de Saint-Hyacinthe, the main event collaborator. Our thanks also go to the funding agencies in the Montérégie Est region and in Quebec and Canada. We finally want to stress that, without artists, there would be no event. So, to the artists of ORANGE 2009, we say Thank you!

Marcel Blouin & Geneviève Ouellet
Directors of ORANGE: Contemporary
Art Event of Saint-Hyacinthe

[2] Griffith Aaron Baker. *Petro Max'd,* 2009

Message from the Curators

Among those artists interested in the various aspects of the agri-food sector, many also consider the ethical issues raised by this topic. The purpose of contemporary art is certainly not to focus on ethics or morality, and yet today we observe a trend in this direction. These artists, like the society in which they live, are increasingly smitten with ethical questions and directly challenge us by calling into question our way of cultivating the land, which often weakens the environment and threatens its equilibrium. By extension, our eating habits are also called into question, shaking up the foundations of *why* and *how* we carry out our everyday activities. Taking this observation as our starting point, it seemed to us essential to pursue these moral and ethical ideas without losing sight of consequences they have on the aesthetics of the work of art in question. It was thus in this spirit that we invited fourteen artists to participate in the 2009 edition of ORANGE.

For this edition, we have put aside somewhat the question of what we put in our mouths to consider the origins of our food or, more precisely, the values tied up in activities that take place before the consumption stage. What are the issues around the earth in which we sow seeds, around the people who harvest and transform foodstuffs, around the plant species which have disappeared because of economic imperatives, around our warming planet? Given that the topic of the agri-food sector is not limited to the simple fact that food is a commodity, the issues around this fact of being a commodity make it possible to explore multiple avenues and to examine the personal and collective identity of the contemporary individual through their concerns, values, behaviour and lifestyle.

By stimulating thinking about art and currents events, ORANGE hopes to encourage familiarity with visual art. Beyond the evident importance of installation and performance in contemporary art practices which make reference to the agri-food sector, the curators wish to highlight thepolysemous nature of the work they have chosen. ORANGE – Il Nostro Gusto (meaning *our taste* in Italian) had been designed, like a research laboratory, to observe and study not only the question of ethics in the range of projections, shapes, textures, odours and concepts on view, but also to examine the question of aesthetics. Will we come to speak one day of a turning point in the way works of contemporary art are created, one coinciding with a period in our history in which humankind was taken with a sudden need to speak of ethics and morality? Perhaps, but with the proviso that we are not necessarily dealing here with artists who are political activists but rather with artists who are aware and conscientious and who are concerned with their own well-being and with that of others.

The analysis of these practices that we and our fellow contributors offer in this publication recounting the highlights of the event is enriched by the benefit of hindsight. Indeed, this book has offered us the opportunity to share observations that have matured over time, since the curtain rang down on ORANGE 2009.

Sylvette Babin, Marcel Blouin,
Geneviève Ouellet
Curators, ORANGE, 3rd edition

Foreword

Need we recall that a museum is a place where ideas, reflection, pleasure and knowledge meet, that it is impossible for museums to be mere spectators of the great social issues of the day? It is the museum's role instead to nurture and pose such issues. ORANGE, moreover, is an example of this. This most innovative group event, founded in 2003, speaks to its viewers' lives, thereby leading them to question their own ideas. Art, having broken through the museum's walls and become a part of the private sphere, renders our experience a great deal more than mere contemplation. This experience now resides in the ideas raised through the exposition of a discourse.

In an age when individuals can express their political choices simply through the food they eat, ORANGE has become part of a rapidly-changing social context. This has never been truer than it is today. Together, the works shown in the event's third edition cast an eloquent look at our society, at the challenges it faces today and those it will face tomorrow. In scrutinising our consumer habits and their effects, they prompted visitors to think about the ethical, political and environmental issues tied up with the agri-food business. They also provided food for thought for the event's curators and the authors featured in the present publication. ORANGE, by presenting a discourse laden with meanings and ideologies and urging viewers to adopt a point of view, enabled each visitor, while making their way through the exhibits and observing the works, to explore both what they knew would interest them and what they didn't expect to encounter, perhaps even more than they hoped.

The third edition of ORANGE demonstrated once again that artists are not restricted to creating works of art. They are first and foremost citizens, called upon to play a proactive role in shaping our ideas and our vision of the world. By presenting engaging artistic creations rather than politically engaged works of art they have become key figures in society. There is no need to point out that the ideas expressed by the curators and authors could not have taken form without their participation. We thank these artists for their contribution to the success of this edition of the event by stimulating the ideas found herein.

A project such as this could not take place without the support of numerous partners. Thanks to our contributors, to our team for rolling up their sleeves and getting to work, to our Monteregian, Quebec and Canadian government funding agencies, and to the city of Saint-Hyacinthe for its support of the event for the past several years.

For me personally, coordinating this publication has been, once again, an opportunity to work with highly-valued collaborators. My thanks to Timothy Barnard, Magalie Bouthillier, Marcia Couëlle and Colette Tougas for their sharp eyes, rigour and exactitude. They have unarguably contributed to the quality of this publication. I would also like to express my gratitude to the event's artistic director Jean-François Proulx for his keen eye and aesthetic sense, qualities which most certainly made it possible to bring out the artists' ideas. My thanks also to the members of the board of directors of ORANGE, who once again demonstrated their confidence by accepting my contribution to such a fabulous project as this third edition of the event. I am also grateful to Marcel Blouin, who invited me to participate in a once again remarkable adventure.

Geneviève Ouellet

[1] Thierry Arcand-Bossé. *Kidnapping de symbole,* 2009

L'événement

ORANGE 2009.
Il Nostro Gusto.
Une question de goût
Geneviève Ouellet

The Event

ORANGE 2009.
Il Nostro Gusto:
A Matter of Taste
Geneviève Ouellet

The Event

La portée de
nos gestes

Geneviève Ouellet

Les commissaires de la troisième édition de ORANGE, L'événement d'art actuel de Saint-Hyacinthe, Sylvette Babin, Marcel Blouin et moi-même, souhaitions poursuivre la réflexion entreprise lors des précédentes éditions, respectivement présentées en 2003 et en 2006. Toutefois, nous voulions mettre quelque peu de côté l'aliment *mis en bouche* pour nous attarder davantage à la provenance des denrées, aux valeurs qui découlent des gestes posés en amont. Devons-nous rappeler que la thématique de l'agroalimentaire est vaste, qu'elle ne se limite pas uniquement à la nourriture qui se retrouve dans notre assiette ? Elle comprend tout autant la qualité des sols dans lesquels sont déposées les semences, la vie des gens qui participent à la récolte et à la transformation des denrées, aux effets que peuvent avoir les impératifs économiques, de même qu'aux conséquences de nos décisions sur l'environnement et la santé. Dans un contexte en pleine évolution, où les enjeux mondiaux sont d'ordre politique, social, économique et environnemental, les questions d'éthique et de morale se sont imposées à nous. Cela a été d'autant plus révélateur dans l'aspect esthétique du propos des artistes sélectionnés. Nous avons compris qu'il s'agissait là d'artistes conscients, consciencieux et soucieux de leur bien-être, de celui d'autrui. Cela nous a amenés à songer qu'un jour, peut-être, nous parlerions d'une manière de réaliser des œuvres d'art à un moment où l'humanité aurait envie de parler d'éthique et de morale. Devant ce constat, une thématique s'est alors imposée d'elle-même : Il Nostro Gusto. Cet énoncé signifie « notre goût » en italien. Selon nous, la polyvalence de cette proposition cernait les enjeux abordés dans cette troisième édition de ORANGE. Il était tout autant question de goût, d'un point de vue personnel, que de la perspective sociale des goûts, des choix que nous faisons comme société.

Après des mois de préparation pour cet événement, les quatorze artistes en provenance du Québec, du Canada et de l'étranger arrivaient enfin à Saint-Hyacinthe. La réflexion des commissaires devenait alors de plus en plus concrète. Le moment de mettre en exposition un discours, de laisser les œuvres parler d'elles-mêmes était maintenant venu. Pour ce faire, nous avons choisi de les présenter dans trois lieux distincts : le centre EXPRESSION, un immeuble vacant de trois étages que nous avons cru bon d'appeler Le Duclos, ainsi qu'un terrain vague devant le Marché Centre, nommé pour l'occasion Le Duchamp. Ces lieux d'exposition ont permis de faire en sorte que le discours de l'un complémentât celui de l'autre, créant une cohérence dans le propos d'autant plus soutenu.

La soirée d'ouverture

11 septembre. Rassemblés sur le bitume du Marché Centre, écoutant l'allocution soulignant l'ouverture de ORANGE, les visiteurs se sont par la suite dispersés dans les différents lieux d'exposition pour y découvrir les œuvres des artistes et prendre part à l'événement. À EXPRESSION,

[3] Dean Baldwin. *The Margaritaville Town Fountain*, 2009

les gens se sont rassemblés jusqu'à la fermeture des portes de la salle du centre pour regarder l'œuvre documentaire de Nikolaus Geyrhalter, qui présentait les différents processus de production de l'industrie alimentaire des civilisations occidentales. Il va sans dire que cette œuvre, qui démontrait à quel point nous nous sommes éloignés de la réalité humaine à force de produire en masse des denrées alimentaires, a suscité la curiosité de plusieurs personnes, et ce, tout au long de l'événement. Au Duclos, BBB Johannes Deimling réalisait une performance qui a laissé les visiteurs sans voix. Immobile sur une quinzaine de bibles empilées, recouvert uniquement de kilos de pâtes alimentaires ayant la forme des lettres de l'alphabet, l'artiste tenait entre ses mains une Bible ouverte sur un extrait de l'Évangile selon Jean. Le passage était tiré de la Genèse : Au commencement était le verbe. Après avoir passé près de deux heures ainsi, il s'est dévêtu de ses pâtes. De cette performance, il est resté la pile de bibles, les pâtes recouvrant le sol, ainsi que l'extrait de l'Évangile, affiché au mur. La citation n'a pas été choisie d'une manière anodine. Dans la Genèse, le verbe réfère à Dieu alors qu'ici, dans l'Évangile selon Jean, le verbe renvoie à la chair. L'artiste dit avoir voulu amener le spectateur à prendre conscience de l'importance des denrées alimentaires que nous avons en abondance dans les pays industrialisés et que nous omettons trop souvent d'en considérer la valeur en les gaspillant, tout simplement. À l'étage supérieur, la performance installative de Dean Baldwin prenait des airs de fête. L'artiste accueillait les visiteurs avec un verre de Margarita provenant de sa fontaine de fortune créée pour l'occasion. Il était également possible de déguster des huîtres fraîches citronnées, des noix et quelques crudités. Le tout était accompagné d'une musique d'ambiance. La soirée terminée, les visiteurs n'ayant pu y assister pouvaient contempler les restes de victuailles et s'abreuver à la fontaine qui n'offrait plus maintenant que de l'eau. Lors de cette même soirée, l'œuvre de l'artiste Cosimo Cavallaro était omniprésente dans l'espace par l'odeur qu'elle dégageait. Ayant entièrement recouvert de ketchup un appartement de trois pièces et demi, l'effluve vinaigré embaumait l'air et forçait les visiteurs à se couvrir le nez pour la supporter. Avec cette œuvre, l'artiste a voulu souligner la joie qui s'exhale de la consommation de nourriture, du plaisir qu'on peut éprouver à jouer avec les denrées. L'odeur a tôt fait de se dissiper au cours des six semaines suivantes.

L'événement

Outre les œuvres mentionnées précédemment, les visiteurs ont pu découvrir au cours de l'événement la production de quelques autres artistes. À EXPRESSION, dans la grande salle, la peinture de Thierry Arcand-Bossé exposait une fable urbaine dans laquelle Ronald McDonald a été enlevé par des ravisseurs. L'œuvre *Kidnapping de symbole* se voulait une dénonciation d'un capital financier acquis par une exploitation de la malbouffe, une manière de contrer un système économique avide de rendements monétaires au détriment du bien-être des gens. Dans ce même lieu, Griffith Aaron Baker proposait lui aussi un regard sur le comportement de certaines grandes sociétés commerciales nord-américaines. Composée de plus de 40 000 bouchons de plastique, l'œuvre sculpturale *Petro Max'd* posait un regard sur une certaine forme de laxisme, soulignant de ce fait l'ampleur du problème lié à la gestion des déchets, découlant d'une surproduction des objets de consommation que l'on tente de nous vendre. Pour sa part, Michel Boulanger s'est attardé à la problématique de la territorialité et de la rationalisation des espaces agricoles. Pour ce faire, il s'est interrogé sur les similarités existant entre la monoculture du maïs et l'élevage intensif des porcs. Les dessins de la série *Le travail des surfaces* et l'œuvre d'animation numérique *Champ témoin* soulevaient des questionnements chez les spectateurs, notamment sur la place de la nature et le respect des espèces dans notre société actuelle.

Sur les parois extérieures du Marché Centre où se trouve EXPRESSION, l'artiste Simon-Pier Lemelin présentait une série de photographies dans laquelle les parties de chasse et de pêche se déroulaient désormais dans un autre contexte, plus près des mœurs de la société d'aujourd'hui. Le visiteur pouvait y voir un pêcheur faire une prise dans le comptoir d'un poissonnier ou encore un chasseur capturer sa proie apprêtée et scellée sous vide. Le rapport de l'être humain à la nature est ici à nouveau souligné dans ces œuvres de la série *Énoncé sociobiologique*. En face du Marché Centre, à l'espace Duchamp, le collectif Cédule 40 présentait en extérieur une œuvre faisant ironiquement l'éloge de la surproduction, amenant ainsi le spectateur à prendre conscience du fait qu'il s'inscrit désormais dans un cycle de consommation où ce qui a été préalablement créé est bien souvent détruit. Dans le même ordre d'idées, la *Fog Factory* de Troy David Ouellette laissait entrevoir que les seuls matériaux disponibles dans un certain avenir seront les déchets provenant des objets de plastique issus de la société consumériste.

Les ronds orangés peints sur le sol incitaient les visiteurs à se rendre par la suite au Duclos, un espace d'exposition réparti sur trois étages. Au rez-de-chaussée, Ron Benner abordait l'aspect mercantile de la nature. Composée d'une douzaine de plants de tomate, l'installation *¿Qué culpa tiene el tomate?* (En quoi la tomate est-elle coupable ?) s'intéressait aux effets engendrés par l'industrialisation de l'agroalimentaire au détriment de la biodiversité. De ces plants, l'un a d'ailleurs été breveté et ne peut être reproduit qu'avec la permission des autorités. De là l'idée, entre autres, d'une classification des plantes, devenues produits industrialisés par la force des choses. Dans le même sens, l'artiste Daniel Corbeil présentait *Étuveuse climatique*, une installation représentative des effets de l'activité humaine sur l'environnement. Composée de denrées alimentaires, l'œuvre se voulait une métaphore ludique sur les répercussions néfastes de l'industrialisation : dégel du pergélisol, glissement de terrains ou même assèchement des terres. Le tout illustré par du chocolat, de la polenta ou des guimauves. Pour compléter, Troy David Ouellette proposait *Diversions*, une installation dans l'espace créée à partir d'une série de maquettes d'équipement militaire, utilisé cette fois comme garde-manger de semences et de denrées de plus en plus rares et non pas employé comme outil de combat. À l'étage, Simon-Pier Lemelin nous présentait des exemples de ce que pourrait être un trophée de chasse aujourd'hui, œuvres dans le même esprit que les photographies qu'il exposait au Marché Centre. Au lieu d'un animal naturalisé, l'artiste proposait plutôt une pièce de viande emballée sous vide ou du saumon en conserve, fièrement présenté sur une plaque et accompagné de photographies, confirmant le périple de la capture. Le second volet de la série *Énoncé sociobiologique* jetait un regard humoristique et ironique sur notre rapport à la nature. Michel Boulanger nous proposait pour sa part une poursuite dans un champ de maïs d'une telle intensité qu'il s'avérait difficile pour le spectateur de démêler le poursuivant du poursuivi, à l'image du cycle sans fin de l'agriculture intensive. *Smart and Final*, une œuvre animée de Joseph Kohnke, rassemblait de multiples puits de pétrole miniatures construits à partir d'ustensiles en plastique, rappelant dès lors notre dépendance à une ressource non renouvelable, au même titre qu'à la nourriture. L'installation *After the Fact*, qu'il proposait également à l'occasion de la troisième édition de ORANGE, se voulait un prolongement de sa démarche. Composée de boîtes à lunch et de thermos, l'installation mécanisée s'est transformée en champ de bataille, évoquant notamment les conflits liés à l'industrie pétrolière. Quant à l'artiste Shelly Low, elle s'est attardée à la codification culturelle, à notre perception de la culture chinoise à partir de conceptions raciales stéréotypées. *Buffet Toi & Moi* se voulait une installation mettant en perspective les distinctions culturelles par le biais des aliments que nous mangeons.

Les conférences

26 septembre. Cette journée a marqué l'événement par une série de conférences abordant des thématiques bien précises de l'agroalimentaire et des arts visuels. En avant-midi était présenté le premier volet de cette série de conférences, « De la place de l'éthique dans l'agroalimentaire ». Dans cette série, Jean-François Sénéchal, agronome, philosophe et chercheur, a abordé divers aspects liés à la conduite responsable du chercheur, au « rôle social » du scientifique dans les recherches qu'il mène. Pour sa part, Jacques Tétreault, biologiste et vice-président du Comité des citoyens et citoyennes pour la protection de l'environnement maskoutain, s'est interrogé sur les aliments non désirables que nous consommons. À cette occasion, il a notamment parlé des effets pervers découlant de l'utilisation des produits conçus par Monsanto, une multinationale basée aux États-Unis et spécialisée dans la conception de semences alimentaires et d'organismes génétiquement modifiés (OGM). Puis, Daniel Corbeil a parlé de la démarche artistique entourant son œuvre *Étuveuse climatique*, née de la volonté de poursuivre une recherche sur la représentation du paysage en lien avec le réchauffement planétaire.

En après-midi se tenait le second volet de cette journée, « De l'importance de la nourriture dans l'art contemporain ». Pour l'occasion, William Jeffett a présenté au public l'œuvre de l'artiste catalan Antoni Miralda, dont il est le spécialiste, tandis que Richard Purdy, artiste et professeur, est venu exposer les résultats des diverses expériences menées par la chaire de recherche sur les arts sensoriels SAVEUR, qu'il a dirigée à l'Université du Québec à Trois-Rivières.

Les projections

8 octobre. Cette soirée conviait le public à découvrir la vie d'un fermier excentrique du Midwest américain. Présenté par Benoît Girouard, président de l'Union paysanne, le documentaire *The Real Dirt on Farmer John* raconte l'histoire de cet homme qui a dû faire face, au cours de sa vie, à la crise économique, à des remarques désobligeantes et à de rares actes de violence. En combinant l'expression artistique aux valeurs

familiales liées à l'agriculture traditionnelle, ce fermier réussira à se sortir du marasme et à faire renaître cette ferme, qui a d'ailleurs été l'une des premières à promouvoir l'agriculture biologique et la coopération. Ce film démontrait très certainement ce que signifie être différent en milieu rural américain, ce que comporte le fait de vouloir changer les choses, avec son lot de reproches et de condamnations.

22 octobre. *Nos enfants nous accuseront*, documentaire présenté par le réalisateur Jean-Paul Jaud, montrait l'initiative d'un petit village français des Cévennes dont le maire a décidé de contrer les effets néfastes d'une mauvaise alimentation en n'offrant que des produits biologiques à la cantine scolaire. Ce film met en perspective une solution, voire une réponse, à la recrudescence du cancer chez les jeunes enfants et, également, aux décès causés par des maladies liées à la détérioration de l'environnement. La projection de cette œuvre s'est accompagnée d'un débat avec le public, où les échanges ont soulevé d'importantes questions en regard des enjeux de demain et des défis qui sont à relever aujourd'hui d'un point de vue politique, social et environnemental.

La troisième édition de l'événement ORANGE aura été une occasion de s'attarder sur des sujets d'actualité liés au domaine de l'agroalimentaire et, de ce fait, nous permettre d'entrevoir l'avenir de nouvelles façons. Pendant six semaines, la programmation proposée a permis d'alimenter une réflexion sur les débats et les enjeux qui animent notre société par le biais d'œuvres de disciplines diverses, de conférences, de projections et d'activités satellites. Conséquemment, le lecteur est ici invité à approfondir la réflexion entamée lors de la visite des lieux, à se reconsidérer comme citoyen, à remettre en question ses conceptions et ses certitudes. Pour ceux qui n'ont pu assister à cet événement, les pages contenues dans la présente publication permettront de découvrir les différents aspects de cette manifestation artistique.

[6] Cosimo Cavallaro. *I Was Here*, 2009

Organising the Third Edition of ORANGE

Geneviève Ouellet

The curators of the third edition of ORANGE: Contemporary Art Event of Saint-Hyacinthe – me, Sylvette Babin and Marcel Blouin – wanted to pursue the ideas raised in previous editions of the event in 2003 and 2006. At the same time, we wanted somewhat to put aside the *eating* aspect of food and pay greater attention to where our food comes from and the values that derive from activities higher up the food chain. We needn't point out, of course, that the agri-food topic is vast and is not limited to the food on our plates. It also includes the quality of the soil that is seeded, the lives of those who harvest and transform our food, the effects of economic imperatives and the consequences of our decisions on the environment and our health. In a rapidly-changing milieu, facing political, social, economic and environmental issues on a global scale, we were drawn to essential ethical and moral questions. This was even more apparent in the aesthetic ideas explored by the artists participating in the event. We knew they were aware, conscientious artists concerned about their well being and that of others. This led us to imagine that one day, perhaps, we will speak of a way of making works of art at a time when humankind is keen on speaking about ethics and morality. With this in mind, a topic immediately presented itself: *Il Nostro Gusto*, or "our taste" in Italian. In our view, the polyvalent quality of this title identified the issues raised in this third edition of ORANGE. We wished to address the question of taste from both a personal perspective and the social perspective of our collective tastes and the choices we make as a society.

After months of preparation, fourteen artists from Quebec, the rest of Canada and abroad, finally arrived in Saint-Hyacinthe. The curators' ideas then became more concrete. The time had come to put a discourse on the planified exhibit and also let the works speak for themselves. To this end we had chosen three distinct venues: EXPRESSION; an empty three-storey building we decided to call Le Duclos; and a vacant lot in front of the central market, which we named Le Duchamp for the occasion. These exhibition venues made it possible for the discourse of one to complement that of another, creating even more coherence among the ideas on display.

Opening Night

September 11. Visitors gather on the bitumen of the central market, listening to the opening speech. They then disperse in the direction of the exhibition sites to discover the artists' works and participate in the event. At EXPRESSION, people stream in right up to the moment the gallery's doors opened to watch Nikolaus Geyrhalter's documentary on the various production processes used in the food industry in industrialised countries. Needless to say, this work, which demonstrates the extent to which the mass production of foodstuffs has distanced us from human reality, piqued the curiosity of many people throughout the event. At Le Duclos, BBB Johannes Deimling created a performance that left visitors speechless.

[7] Cédule 40. *Révolution*, 2009

Sitting immobile on a pile of some fifteen bibles, covered only in kilos of pasta in the shape of letters of the alphabet, he held a Bible in his hands, open on a passage in the Gospel of John taken from Genesis: In the beginning was the Word. After spending nearly two hours in this position, he removed the pasta from his body. What remained of the performance was the stack of bibles, the pasta on the ground and the excerpt from John affixed to the wall. The quotation was not chosen innocuously. In Genesis, the word refers to God, while in John it refers to the flesh. BBB Johannes Deimling relates that he wanted to make the viewer aware of the importance of the foodstuffs we in the industrialised countries have in abundance and whose value we too often neglect simply by wasting them. Upstairs, Dean Baldwin's installation performance took on a festive air. The artist welcomed visitors with a margarita drawn from the makeshift fountain he created for the occasion. Visitors could also nibble on fresh lemon oysters, nuts and raw vegetables to the sound of mood music. When the evening was over, visitors who couldn't attend were able to contemplate the remains and drink from the fountain, which now provided only water. That same evening, the artist Cosimo Cavallaro was omnipresent in the space through the odour it gave off. A vinegary scent filled the air, emanating from a three-and-a-half-room apartment entirely covered in ketchup, forcing visitors to pinch their noses in order to bear it. With this work,

A Matter of Taste

Cavallaro wished to highlight the joy that emanates from the consumption of food and the pleasure we experience when playing with foodstuffs. The odour quickly dissipated over the next six weeks.

The Event

Apart from the works mentioned above, visitors were able to discover the work of several other artists through the event. In the main gallery of EXPRESSION, Thierry Arcand-Bossé's painting depicted an urban fable in which Ronald McDonald is kidnapped. In its way, *Kidnapping de symbole* denounced the accumulation of capital through the sale of junk food as a way of countering an economic system hungry for financial returns at the expense of people's well being. In the same space, Griffith Aaron Baker also cast a critical glance at the behaviour of certain large North American companies. The sculpture *Petro Max'd*, made out of more than 40,000 plastic bottles, cast its eye on a certain laxity, highlighting the extent of the waste management problem, a result of the overproduction of the consumer goods we are urged to buy. Michel Boulanger, meanwhile, examined the problem of territoriality and the rationalisation of agricultural lands. To do so, he explored the similarities between the monoculture of corn and the intensive breeding of pigs. The drawings in his series *Le travail des surfaces* and his digital animated film *Champ témoin* prompted viewers to think about issues such as the role of nature and species in contemporary society.

On the outdoor walls of the central market, where EXPRESSION is located, Simon-Pier Lemelin presented *Énoncé sociobiologique*, a series of photographs showing hunting and fishing parties taking place in a different context, one closer to the habits and customs of our day. Visitors saw a fisher land a fish at a fish seller's stall and a hunter capture his prey ready to eat and vacuum packed. Here again the relationship between humankind and nature was brought to light. In front of the central market, in the Duchamp space, the Cédule 40 collective exhibited an outdoor work in ironic praise of overproduction, leading viewers to be aware that they are a part of a cycle of consumption in which what has been created is very often destroyed. Similarly, Troy David Ouellette's *Fog Factory* gave viewers a glimpse of the only materials that will be available in the near future: waste plastic objects produced by our consumer society.

Round orange spheres painted on the ground urged visitors to move on to Le Duclos, an exhibition space spread out over three floors. On the ground floor, Ron Benner addressed the commercialisation of nature. His installation *¿Qué culpa tiene el tomate?* (How is the Tomato Guilty?), made up of a dozen tomato plants, explored the effects of agri-food industrialisation at the expense of biodiversity. One of these plants is under patent and can only be reproduced with the proper permission. Hence the idea, among others, of classifying plants, which the force of events has turned into industrialised products. In the same vein, Daniel Corbeil presented *Étuveuse climatique*, an installation depicting the effects of human activity on the environment. Made out of food products, the work was a playful metaphor for the pernicious effects of industrialisation the thawing of the permafrost, landslides and even desertification – all illustrated with chocolate, polenta and marshmallows. To complete the ground floor, Troy David Ouellette's installation *Diversions* was made out of a series of models of military equipment, employed not for warfare but as a larder for increasingly rare seeds and foodstuffs. Upstairs, Simon-Pier Lemelin presented examples of what a hunting trophy today might look like, a work in the same spirit as his photographs on exhibit at the Marché Centre. Rather than a stuffed animal, Lemelin presented us instead with a piece of vacuum-packed meat or a can of salmon, proudly mounted on a plaque and accompanied by photographs corroborating the long adventure of its capture. This second part of the series *Énoncé sociobiologique* cast a humorous and ironic look at our relationship with nature. Michel Boulanger, for his part, presented a pursuit of such intensity in a field of corn that it was difficult for the viewer to tell who was pursuing and who was being pursued. In this it resembled the endless cycle of intensive agriculture. *Smart and Final,* an animated piece by Joseph Kohnke, was composed of several miniature oil wells made out of plastic utensils as a way of reminding us that we are dependent on this non-renewable resource, as we are on food. His installation *After the Fact,* which was also a part of this third edition of ORANGE, took the project a step further. Made out of lunch pails and thermos bottles, this mechanised installation became a battleground, evocative in particular of the conflicts brought about by the oil industry. As for Shelly Low, her piece *Buffet Toi & Moi* examined cultural codification and perceptions of Chinese culture based on racial stereotypes. Her installation highlighted the cultural differences determined by the food we eat.

Public Lectures

September 26. This was a big day in the event's schedule because of a series of public talks on precise topics having to do with agriculture and food in the visual arts. In the morning, Jean-François Sénéchal, an agronomist, philosopher and researcher, gave the first in this series of talks, "The Role of Ethics in the Agri-food Business". He examined issues around ethical behaviour on the part of researchers and the "social role" of scientists in the research they conduct. The biologist Jacques Tétreault, vice president of the Comité des citoyens et citoyennes pour la protection de l'environnement maskoutain (Citizens' Committee for the Protection of the Environment in the Maskoutain Region), spoke about the undesirable foods we eat. He spoke in particular about the perverse effects caused by the use of products put out by Monsanto, the U.S.-based multinational specialising in genetically-modified seeds and organisms (GMO). Then, Daniel Corbeil spoke about the ideas behind his work *Étuveuse climatique,* born of a desire to extend his explorations into the representation of the landscape with respect to global warming.

This day's second round, entitled "The Importance of Food in Contemporary Art", was held in the afternoon. William Jeffett introduced the public to the work of the Catalan artist Antoni Miralda, about whom he is the specialist, while the artist and professor Richard Purdy presented the results of the research carried out by SAVEUR, a research group into sensory art he led at the Université du Québec à Trois-Rivières.

Film Screenings

October 8. This evening, the public was invited to discover the life of an eccentric farmer from the American Midwest. The documentary film *The Real Dirt on Farmer John*, introduced by Benoît Girouard, president of Quebec's Union paysanne, tells the story of a man who, over the course of his life, had to confront economic crisis, cutting remarks and a few rare acts of violence. This farmer, by combining artistic expression with the family values tied up with traditional agriculture, turned around the economic failure of his farm, one of the first to promote organic agriculture and cooperation. There can be little doubt that this film demonstrated what it is to be different in a rural environment in the United States, to want to change things in the face of reproach and censure.

October 22. *Nos enfants nous accuseront* (*Our Children Will Accuse Us*), a documentary presented by its director, Jean-Paul Jaud, showed the initiative of a small village in the Cévennes region of France, whose mayor decided to fight the effects of poor nutrition by offering only organic food in the school cafeteria. The film explores a solution, or even a response, to the growth in cancer rates among young children and to the deaths caused by illnesses associated with environmental degradation. After the screening there was a discussion with the audience which raised important issues with respect to the future and to the political, social and environmental challenges we face today.

The third edition of ORANGE was an opportunity to examine current events in the agri-food sector in greater depth, thereby enabling us to glimpse the future in certain respects. For six weeks the event's program provided stimulating food for thought on the debates and issues facing society through works of art in a variety of disciplines, public talks, film screenings and accompanying activities. Readers are invited to ponder in greater depth the thoughts prompted by their visit to the event, to reconsider their roles as citizens and to call their ideas and certainties into question. For those who were unable to attend, the present publication will enable them to discover the various facets of this artistic event.

Thierry Arcand-Bossé

Dans sa démarche picturale, Thierry Arcand-Bossé explore les divers aspects du langage plastique cinématographique. Optant pour une facture se rapprochant davantage du dessin, de la bande dessinée, il campe son sujet, ses personnages et leurs actions dans une mise en scène qui se veut à la fois réaliste et onirique. Pour ORANGE, l'artiste a créé une fable contemporaine cynique, pointant du doigt les effets d'un capital financier acquis grâce à une exploitation outrancière de la malbouffe. L'œuvre *Kidnapping de symbole* montrait l'enlèvement de Ronald McDonald qui, pour l'occasion, s'est présenté sous les traits du président-directeur général de la multinationale du même nom. Avec ce récit, l'artiste a voulu laisser sous-entendre que l'on pouvait contribuer à l'affaiblissement d'un système économique vorace en éradiquant un maillon significatif de ce dernier.

Thierry Arcand-Bossé's paintings explore various aspects of film language. In a style closer to drawings and graphic novels, he places his subject, characters and their actions in a mise en scène both realist and dreamlike. For ORANGE, he created a cynical contemporary fable, pointing his finger at the effects of financial capital acquired through the extreme promotion of junk food. *Kidnapping de symbole* showed us the kidnapping of Ronald McDonald who, for the occasion, took the appearance of the CEO of the multinational of the same name. With this story, Arcand-Bossé wished to suggest that it is possible to contribute to the weakening of a voracious economic system by eradicating a symbolic link in its chain.

PISTES DE LECTURE / SUGGESTED READING
journaux / newspapers [1] CANTIN, David. « Thierry Arcand-Bossé : Nouvelle peinture », *Cyberpresse* [Montréal], 11 juillet 2009. [2] DESLOGES, Josianne. « Thierry Arcand-Bossé à Lacerte : peindre à la Hitchcock », *Le Soleil* [Québec], 26 mars 2011, p. A32. [3] CANTIN, David. « Thierry Arcand-Bossé : une nouvelle peinture », *Le Soleil* [Québec], 11 juillet 2009, p. A24.

Kidnapping de symbole

Griffith Aaron Baker

Dans sa démarche artistique, Griffith Aaron Baker critique le laxisme des Nord-Américains – et, par extension, de certaines sociétés commerciales – en matière de protection de l'environnement et de gestion des déchets. À travers ses œuvres sculpturales essentiellement composées de matière plastique, il remet en question la relation qu'entretient l'humain avec les objets, qu'il consomme et jette à profusion. Composée de 40 000 bouchons de plastique, l'œuvre *Petro Max'd*, qu'il a présentée à l'occasion de ORANGE, portait un regard sur nos habitudes consommatoires postmodernes. La reconstitution d'une bouteille de plastique aux proportions démesurées plaçait le visiteur devant l'ampleur du problème de surproduction. L'artiste voulait ainsi interpeller le spectateur en l'incitant à réévaluer ses habitudes de consommation quotidiennes et, par le fait même, à prendre conscience des effets des choix qu'il effectue.

Griffith Aaron Baker's work criticises the lax standards of North Americans – and, by extension, certain companies – with respect to environmental protection and waste management. His sculptures, for the most part made of plastic, call into the question our relationship with the objects we consume and discard in great quantities. Made up of 40,000 plastic bottles, the piece he presented at ORANGE, *Petro Max'd*, cast a glance at our postmodern consumer habits. Recreating a plastic bottle in gigantic proportions confronted the visitor with the extent of the problem of overproduction. Baker also wanted to challenge viewers and to urge them re-evaluate their everyday consumer habits, thereby becoming aware of the effects of the choices they make.

PISTES DE LECTURE / SUGGESTED READING
catalogue [1] PEART, Wendy. *Pale Blue Dot*, Regina, Saskatchewan, Art Gallery of Regina, 2008.

journaux / newspapers [2] ANDERSON, Jack. « At the Galleries. Artists Consider our Effect on Earth », *Leader Post* [Regina], 7 février 2008, p. B2. [3] GREKE, Hailey. « Our Abnormal Life », *The Carillon* [Regina], vol. 50, nº 14, 9 janvier 2008, p. 20.

Petro Max'd

Dean Baldwin

Par l'entremise de ses œuvres, Dean Baldwin s'attarde aux habitudes consommatoires des Nord-Américains. Reconnu pour ses qualités de bon vivant, pour ses événements sociaux où l'environnement artistique devient un prétexte pour faire la fête, il invite les visiteurs à consommer et, par le fait même, à s'interroger sur leurs habitudes, leur comportement en société et les choix qu'ils font. Dressant une mince ligne entre l'art et la vie, il proposait à l'occasion de ORANGE un projet intitulé *The Margaritaville Town Fountain*. Cette installation, conçue de matériaux de fortune et offrant à volonté de la Margarita en fontaine, rappelait les distilleries clandestines d'une autre époque. Le soir de l'ouverture, l'artiste a invité le public à célébrer avec lui en dégustant de la nourriture, tout en prenant un verre.

Dean Baldwin's work focuses on North American consumer habits. Recognised for his *bon vivant* lifestyle and for the social events he puts on in which the artistic environment becomes a pretext for partying, he invites visitors to consume and thereby to question their habits and their social behaviour by way of the choices they make. At ORANGE he presented a project that walked a fine line between art and life entitled *The Margaritaville Town Fountain*, this installation composed of found materials provided margaritas on tap, reminiscent of the clandestine distilleries of another era. On opening night, Baldwin invited the public to join him in a meal and a drink to celebrate.

PISTES DE LECTURE / SUGGESTED READING
catalogue [1] FRASER, Marie et coll., *La Triennale québécoise 2011. Le travail qui nous attend*, Montréal, Musée d'art contemporain de Montréal, 2011, 550 p.
périodiques / periodicals [2] KNECHTEL, John [dir.]. *Food. Alphabet City Series*, Cambridge, Massachusetts, The MIT Press, 2007, 320 p. [3] SAYEJ, Nadja. « Dean Baldwin. Attempt at an Inventory », *ArtUs* [Los Angeles], n° 19, été 2007.

journaux / newspapers [4] FADDEN, Robyn. « Freedom Fighters. Virginie Laganière, Dean Baldwin and Juan Ortiz-Apuy: Liberty or death », *Hour* [Montréal], vol. 33, n° 2, 20 janvier 2011. [5] ROGERSON, Stephanie. « York Quay double play », *NOW* [Toronto], vol. 26, n° 16, 21-28 décembre 2006. [6] HIRSCHMANN, Thomas. « Beauty in routine », *NOW* [Toronto], vol. 23, n° 31, 1-8 avril 2004.

The Margaritaville Town Fountain

Ron Benner

La pratique de Ron Benner allie photographie, installation et horticulture. Son travail est marqué par son intérêt pour l'impérialisme culturel de l'Occident, d'une façon plus particulière pour le commerce et l'industrie agricole. L'œuvre *¿Qué culpa tiene el tomate?* (En quoi la tomate est-elle coupable ?), présentée à ORANGE, traitait de la biodiversité mise en péril par l'industrie agroalimentaire. Cette installation *vivante*, assortie de photographies, était composée de douze variétés de plants de tomates, dont onze étaient des variétés dites rustiques (plantes indigènes n'ayant subi aucune hybridation ni manipulation génétique) et libres d'utilisation. La douzième variété, la *Beefmaster Tomato*, se voulait être une plante hybride et stérile, qui a été brevetée et dont la reproduction est interdite sans la permission des entreprises concernées. Les plantes, qui proviennent de la nature et, par essence, ne sont ni catégorisées ni cloisonnées, sont désormais classifiées, voire hiérarchisées au nom de la science, elle-même au service du commerce international. Selon l'artiste, en brevetant des plantes, des entreprises multinationales s'approprient le droit de les commercialiser ou de les faire disparaître. Les photographies qui ont complémenté cette installation montraient en quelque sorte les deux extrémités du commerce de la tomate, l'une faisant état d'une mise en marché à échelle humaine, l'autre – qui relatait une anecdote plus dramatique – laissant entrevoir les méfaits de la commercialisation à outrance.

Ron Benner's work joins photography, installation and horticulture and is characterised by his interest in Western cultural imperialism and especially in trade and the agricultural industry. The work he presented at ORANGE, *¿Qué culpa tiene el tomate?* (How is the Tomato Guilty?), examined how biodiversity has been threatened by the agri-food industry. This *living* installation, with photographs, was made out of twelve varieties of tomato plants, eleven of which were so-called heirloom varieties (indigenous plants which have not undergone any hybridization or genetic manipulation), which can be used freely. The twelfth variety, the *Beefmaster Tomato*, is a hybrid, sterile plant that has been patented and whose reproduction without permission from the appropriate copyright owners is forbidden. Plants, a product of nature which thus cannot be categorised or compartmentalised, have become classified, even ranked in hierarchies, in the name of science, which in turn is in the service of international trade. By patenting plants, Benner remarks, multinational companies appropriate the right to market them or make them disappear. The photographs rounding out this installation showed, in a sense, the two extremes of the tomato business, one where they are marketed on a human scale and the other telling a more dramatic anecdote that revealed a glimpse of the sins of unbridled commercialisation.

PISTES DE LECTURE / SUGGESTED READING
catalogues [1] BENNER, Ron [dir.]. *Gardens of a Colonial Present / Jardins d'un présent colonial*, London, Museum London, 2008, 184 p. [2] CORBEIRA, Darío [dir.]. *To Eat or not to Eat*, Salamanque, CASA, Centro de Arte de Salamanca, 2002, 551 p. [3] FISCHER, Barbara [dir.]. *Foodculture: Tasting Identities and Geographies in Art*, Toronto / London, YYZ Books / ArtLab, University of Western Ontario, 1999, 171 p.
opuscules / brochures [4] THORNE, Kika. *Re(lecture). Kika Thorne sur Ron Benner / Re-Viewed: Kika Thorne on Ron Benner*, Toronto, Musée des beaux-arts de l'Ontario, 2003, [6] p. [5] PATTON, Andy. *Ron Benner. Trans/mission*, Saint-Hyacinthe, EXPRESSION, Centre d'exposition de Saint-Hyacinthe, 2003, [8] p.
journaux / newspapers [6] BROWN, Eleanor. « How does your garden grow? », *The Record – Talk of the Townships*, [Sherbrooke], 9 juillet 2010, p. B4. [7] PION, Isabelle. « Quand l'art s'installe au jardin... », *La Tribune* [Sherbrooke], 11 juin 2010, p. 53.

¿Qué culpa tiene el tomate?

BEEFMASTER
TOMATO
VFN Large beefsteak-type
F1 hybrid. BVH0104
PBR/WTO Patent Protected
Propagation Prohibited

Michel Boulanger

Michel Boulanger explore le processus de formation des images et le rôle qu'elles jouent dans notre définition de la réalité. Dans son travail, l'artiste s'est intéressé à la création d'espaces agricoles et virtuels. Pour ORANGE, il s'est attardé à la problématique de la territorialité et de la rationalisation des espaces agricoles. Par l'intermédiaire de dessins et de films d'animation numérique en trois dimensions, il s'est interrogé sur les similarités existant entre la monoculture du maïs et l'élevage intensif des porcs. Avec le projet *Champ témoin*, Michel Boulanger s'est concentré sur la croissance anarchique des plantes, la violence des orages ou le travail de l'érosion qui dessinent de nouvelles graphies dans les champs. La série de dessins *Le travail des surfaces* évoquait la tension qui existe entre l'occupation cartésienne de l'espace agricole et le pouvoir de la nature qui reprend ses droits. L'artiste présentait également l'œuvre d'animation *Champ témoin. Chapitre I. Monter* et tentait de redonner à un porc virtuel les caractéristiques animales qui lui ont été enlevées, voire de lui redonner son « animalité » perdue, étant désormais élevé en réclusion et engraissé dans les conditions extrêmes des parcs industriels. La vidéo *Champ témoin Chapitre II. Fuir* mettait en scène une poursuite sans fin ni but dans un champ de maïs. Ne permettant pas de déterminer qui est le poursuivant et qui est le poursuivi, l'œuvre condamne le spectateur à un éternel recommencement qui, transposé sur la scène agricole, prend l'allure d'un cercle vicieux propre à l'état de l'agriculture intensive.

Michel Boulanger explores the process by which images are formed and the role they play in our definition of reality. His work expresses his interest in the creation of agricultural and virtual spaces. For ORANGE, he decided to focus on the question of territoriality and the rationalisation of agricultural spaces. Using drawings and 3D animated films, he inquired into the similarities between corn monoculture and intensive pig breeding. His project *Champ témoin* examined the anarchic growth of plants, the violence of storms and the erosion that creates new lines in our fields. The series of drawings *Le travail des surfaces* evoked the tension between the Cartesian occupation of agricultural space and nature's power to reassert its rights. He also presented the animated film *Champ témoin. Chapitre I. Monter* and tried to restore to the virtual pig the animal qualities that had been taken from it – to restore its lost "animalness" after being raised in seclusion and fattened up in the extreme conditions of industrial animal pens. The video *Champ témoin. Chapitre II. Fuir* featured an endless chase without purpose in a cornfield. Making it impossible to determine who was chasing and who was being chased, the work condemns the viewer to a perpetual starting over which, transposed to the agricultural scene, takes on the aspect of the vicious circle proper to the current state of intensive agriculture.

PISTES DE LECTURE / SUGGESTED READING
catalogues [1] LUPIEN, Jocelyne et Réal LUSSIER, *Michel Boulanger : le dessin manifeste*, Longueuil, Plein sud, centre d'exposition en art actuel à Longueuil, 2010, 119 p. [2] LUSSIER, Réal. *Michel Boulanger : traîner son lourd passé*, Montréal, Musée d'art contemporain de Montréal, 2003, 23 p.
opuscules / brochures [3] ASSELIN, Edwige. *Vues du paysage*, Montréal, Galerie McClure, 2003, [4] p. [4] COUËLLE, Jennifer. *Construire l'équilibre. Les Dehors*, Saint-Hyacinthe, EXPRESSION, Centre d'exposition de Saint-Hyacinthe, 2003, [8] p.
journaux / newspapers [5] DELGADO, Jérôme. « Lourd passé. Avenir radieux », *La Presse* [Montréal], 18 janvier 2004, p. 5, Arts et spectacles. [6] LAMARCHE, Bernard. « Tissée serrée », *Le Devoir* [Montréal], 28 décembre 2003, p. E2.

Champ témoin et Le travail des surfaces

I Was Here

Cosimo Cavallaro

Par l'entremise de ses installations, Cosimo Cavallaro cherche à rejoindre une multitude de publics en explorant les notions antagoniques de besoin et de désir, de connu et d'inconnu, de sécurité et d'incertitude. Pour ce faire, il utilise la nourriture comme élément principal dans sa production, entretenant une relation émotive et sensorielle avec cette dernière, et rappelant qu'il s'agit là du matériau se rapprochant le plus de notre quotidien. À l'occasion de ORANGE, il a présenté une œuvre installative inédite qu'il souhaitait réaliser depuis fort longtemps. Il s'est proposé d'investir un appartement du centre-ville de Saint-Hyacinthe afin d'en recouvrir toutes les surfaces de ketchup. Dans cette œuvre où le geste et le processus de création ont pris une dimension performative importante, seule la trace a été donnée à voir au spectateur. Mais cette trace a fait appel à tous les sens du visiteur qui, invité à pénétrer dans l'espace et à s'y attarder, s'est retrouvé *enveloppé* par la matière, la couleur et l'odeur qui régnaient dans chacune des pièces. Préalablement intitulée *EXIT: A Room in Ketchup*, le titre de l'œuvre a été changé pour *I Was Here* à la demande de l'artiste qui, à son sens, était un titre davantage porteur, considérant que la réalisation de cette œuvre a été pour lui une expérience sensorielle importante, lui permettant de repousser ses limites au-delà de son corps et de son esprit, tel un baptême dans un nouveau monde.

Cosimo Cavallaro's installations seek to reach a variety of audiences while exploring the antagonistic concepts need and desire, known and unknown, security and uncertainty. To achieve this, he uses food as the principal element of his work, carrying on an emotive and sensorial relationship with it and reminding us that it is the substance closest to our everyday lives. At ORANGE, he presented a new installation which he had wanted to make for a very long time. He took over an apartment in downtown Saint-Hyacinthe and covered all its surfaces in ketchup. In this work, in which the gesture and the creative process took on a significant performative dimension, only the trace of that performance was made visible to the viewer. But this trace called on all the visitor's senses: invited to enter the space and linger there a while, viewers found themselves *enveloped* by the substance and the colour and odour that reigned in every room. Initially entitled *EXIT: A Room in Ketchup*, its title was changed at the artist's request to *I Was Here*; to his mind, this was a more appropriate title given that for him the creation of the work was a significant sensorial experience which enabled him to extend his limits beyond his mind and body, like being baptised into a new world.

PISTES DE LECTURE / SUGGESTED READING
périodique / periodical [1] TEELUCK, Julia. « On the Edge. Cosimo Cavallaro challenges social conventions through his art », *Müdd Magazine* [Toronto], 2010, p. 32-45. journaux / newspapers [2] HÉTU, Richard. « Mon doux Jésus », *La Presse* [Montréal], 8 avril 2007, p. A1. [3] MCSHANE, Larry. « Chocolate Jesus exhibit canceled after complaints », *The Boston Globe* [Boston], 31 mars 2007. [4] GRUDA, Agnes. « Des oh! et des bah! », *La Presse* [Montréal], 6 juin 2004, p. PLUS2.

I Was Here

Cédule 40

Le collectif Cédule 40, formé de Julien Boily, Sonia Boudreau, Étienne Boulanger et Noémie Payant-Hébert, poursuit une démarche engagée dans un questionnement écologique et environnemental. Sensibles à l'aspect visuel et à l'ingéniosité technique de l'outil – qu'il soit industriel, agraire ou même sylvicole –, les artistes conçoivent des œuvres ludiques et poétiques qui allient installation, architecture, sculpture et dispositifs mécaniques. Pour ORANGE, le collectif présentait *Révolution*, une œuvre faisant ironiquement l'éloge de la surproduction, de la surconsommation et de l'appauvrissement des sols. À l'image des autres projets du collectif, la participation du public était une partie intégrante de l'œuvre. Le visiteur était appelé à mettre l'épaule à la roue pour activer la semeuse. En faisant fonctionner le mécanisme, il ensemençait le sol tout en détruisant, du même coup, ce qui avait germé. Avec cette œuvre, le collectif Cédule 40 nous rappelait que, dans nos pratiques de consommation courantes, nous contribuons souvent à un cycle absurde où nous détruisons ce qui a été préalablement créé, témoignant ainsi d'une véritable « insouciance ».

The collective Cédule 40, made up of Julien Boily, Sonia Boudreau, Étienne Boulanger and Noémie Payant-Hébert, creates socially aware works that explore ecological and environmental questions. Sensitive to the visual quality and technical ingenuity of tools – whether industrial, agricultural or even those used in forestry – these artists conceive playful and poetic works which join installation, architecture, sculpture and mechanical devices. For ORANGE, the collective presented *Révolution*, a work which ironically lauds overproduction, excessive consumption and soil depletion. Like other projects by the collective, audience participation was an integral part of the work. Visitors had to put their shoulder to the wheel to activate the seed drill. By putting the device into motion, they sowed the ground while at the same time destroying what had germinated. With this work, the collective Cédule 40 reminded us that our present-day consumer practices often contribute to an absurd cycle in which we destroy what had earlier been created, thereby demonstrating a degree of "thoughtlessness".

PISTES DE LECTURE / SUGGESTED READING
journaux / newspapers [1] POULIOT, Audrey. « Plusieurs projets à l'automne. Retour en force pour Cédule 40 », *Le Progrès-Dimanche* [Saguenay-Lac-St-Jean], 7 août 2011, p. 39. [2] MARTEL, Joël. « IQ L'atelier inaugure son œuvre commémorative. Le projet La Glissoire est complété », *Le Journal Lac St-Jean* [Alma] , vol. 70, no 19, 22 septembre 2010, p. 24. [3] TREMBLAY, Steeve. « De Lac & de Fjord. La Glissoire dans le parc » , *Le Quotidien* [Saguenay-Lac-St-Jean], 20 septembre 2010, p. 14. [4] BLACKBURN, Roger. « Le parc Falaise reprend vie. Une sculpture vivante pour célébrer 150 ans d'histoire à Alma », *Le Quotidien* [Saguenay-Lac-St-Jean], 7 mai 2010, p. 3. [5] BOUCHARD, Stéphane. « Quand l'art déstabilise », *Le Quotidien* [Saguenay-Lac-St-Jean], 3 décembre 2008, p. 31. [6] LABRIE, Isabelle. « Festivités du 400e de Québec. Cédule 40 marie paysage et histoire », *Cyberpresse* [Montréal], 10 mai 2008. [7] VIAU, René. « Cultiver les sens à l'ombre de Grand-Métis », *Le Devoir* [Montréal] , 22 juillet 2006, p. E6.

Révolution

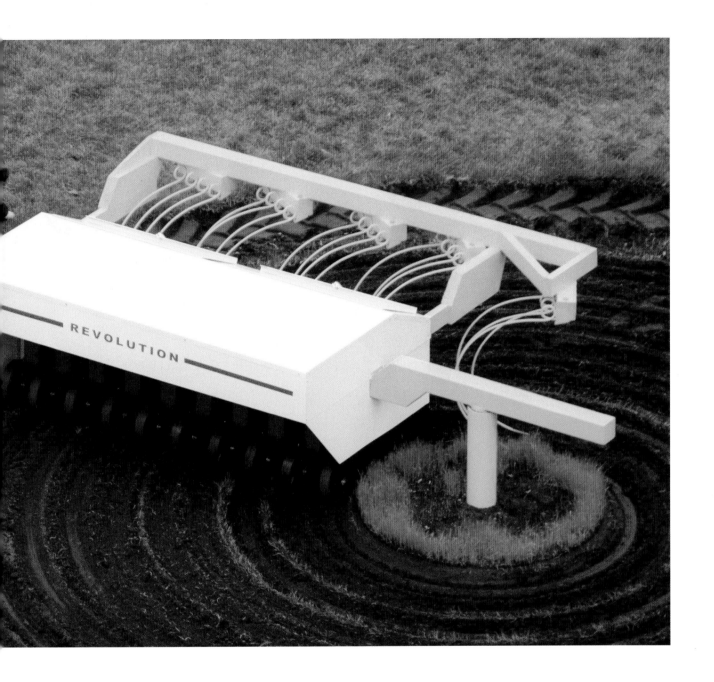

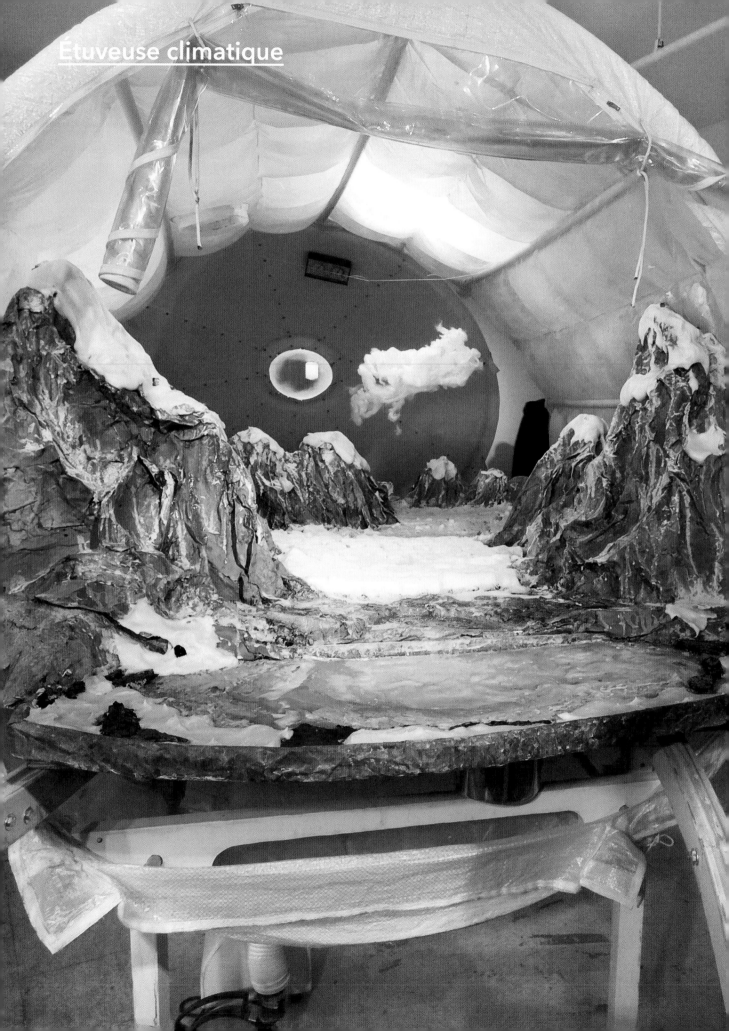

Étuveuse climatique

Daniel Corbeil

Dans sa pratique, Daniel Corbeil s'intéresse aux problématiques environnementales actuelles. À l'occasion de ORANGE, il a présenté un projet évolutif intitulé *Étuveuse climatique*. Cette œuvre installative, qu'il a créée en 2004 et qu'il ne cesse de transformer depuis, est née de la volonté de poursuivre une recherche sur la représentation du paysage construit en lien avec le réchauffement planétaire. L'œuvre vise à susciter une réflexion sur les atteintes à l'environnement résultant de l'activité humaine, en particulier la surconsommation et l'agriculture intensive. Conçue comme un dispositif de laboratoire permettant de simuler, en accéléré et à échelle réduite, les transformations subies par les environnements nordiques – fontes des glaciers et du pergélisol, érosion des berges, glissements de terrain –, l'installation se voulait être une métaphore ludique sur les effets néfastes de l'industrialisation, amenant de ce fait le spectateur à s'interroger sur la responsabilité de l'être humain dans la gestion et la préservation de l'environnement.

Daniel Corbeil's work focuses on present-day environmental issues. At ORANGE, he presented an evolving project entitled *Étuveuse climatique*. This installation, which he created in 2004 and has continually transformed ever since, was born out of his desire to explore the representation of the built landscape with respect to global warming. The work sought to make people think about the damage human activity is causing to the environment, particularly through overconsumption and intensive agriculture. Conceived as a laboratory which would make it possible to simulate, in speeded-up time and on a reduced scale, the transformations which northern environments are going through – melting glaciers, thawing permafrost, shoreline erosion, landslides – the installation was a playful metaphor for the nefarious effects of industrialisation, leading the viewer to think about our responsibility to manage and preserve the environment.

PISTES DE LECTURE / SUGGESTED READING
écrit de l'artiste / written by the artist
[1] CORBEIL, Daniel. *Une approche composite de la sculpture comme métaphore critique des valeurs liées à l'environnement industriel contemporain*, mémoire-création de Maîtrise en arts visuels et médiatiques, Montréal, UQAM, 1998, 26 p.
catalogues [2] PRESSÉ, Suzanne. *Daniel Corbeil. Trajets aériens*, Sherbrooke, Galerie d'art du Centre culturel de l'Université de Sherbrooke, 2007, 10 p. [3] MATTE, Andrée. *Daniel Corbeil. Simulations entre ciel et terre*, Saint-Jérôme, Musée d'art contemporain des Laurentides, 2005, 46 p. [4] BEAULIEU, Jean-Philippe. *Daniel Corbeil. Le dossier Balénoptère*, Val d'Or, Centre d'exposition de Val d'Or, 2003, 23 p.
opuscules / brochures [5] GRANDE, John K. *Daniel Corbeil. Nacelle en perspectives*, Saint-Hyacinthe, EXPRESSION, Centre d'exposition de Saint-Hyacinthe, 2002, [8] p. [6] GIRARD, Chantale et Patrice LOUBIER. *Bouleau sur la planche. Exposition collective d'artistes concepteurs*, Québec, L'Œil de Poisson, 1996, 20 p.

Étuveuse climatique

Au commencement était le verbe
[Speechless]

BBB Johannes Deimling

Les œuvres de BBB Johannes Deimling se veulent une image conceptualisée de notre société remplie de contradictions, de sentimentalité, de stupidité, mais également de sympathie, de créativité et d'échanges. Il s'inspire de la banalité du quotidien en la réinterprétant selon son point de vue. Le soir de l'ouverture de l'événement ORANGE, l'artiste a offert au public une performance. Assis pendant plus de deux heures sur une quinzaine de bibles empilées, le corps recouvert uniquement de kilos de pâtes alimentaires ayant la forme des lettres de l'alphabet, Deimling tenait entre ses mains une Bible ouverte sur un passage de l'Évangile selon Jean, reprenant un extrait de la Genèse [Au commencement était le verbe]. Cette métaphore utilisée par l'artiste illustrait comment notre société contemporaine gère d'une manière immorale les denrées fort précieuses que nous ingurgitons et, par le fait même, gaspillons.

The work of BBB Johannes Deimling presents a conceptualised image of our society, full of contradictions, sentimentality and stupidity, but also of kindness, creativity and personal connections. It draws on the banality of everyday life, reinterpreting it from his point of view. On ORANGE's opening night Deimling offered the audience a performance. Seated for more than two hours on a pile of fifteen bibles, his body covered only by kilos of letter-shaped pasta, he held a Bible in his hands, open to a passage from the Gospel of John which quoted an excerpt from Genesis (In the beginning was the Word). This metaphor illustrated the immoral manner in which contemporary society manages the precious food supplies we eat and, as a result, waste.

PISTES DE LECTURE / SUGGESTED READING
catalogues [1] BOJE, Christiane, Renate BUSCHMANN, Beate ERMACORA et coll., *Eat the Universe. Food in Art. Vom Essen in der Kunst*, Cologne, DuMont Publishing House, 2010, 300 p. [2] HERGETH, Andreas. *Geradeaus*, Berlin, Samis Dat, 2003, 128 p.

périodiques / periodicals [3] « Agierte Bilder », *Kunstforum* [Autriche], n° 192, juillet – août 2008, p. 56. [4] « Hautaufgaben », *Kunstforum* [Autriche], n° 160, juin – juillet 2002. [5] AYERS, Robert. « Physical Vehicle. Swiss Performance Artists », *Live Art Magazine* [Nottingham], n° 32, octobre – décembre 2000, p. 17-18.

Au commencement était le verbe [Speechless]

Nikolaus
Geyrhalter

Dans ses œuvres documentaires, Nikolaus Geyrhalter choisit de mettre à l'avant-plan les mœurs et les réalités de divers coins du monde. Pour ORANGE, il a proposé *Our Daily Bread / Notre pain quotidien*, une œuvre documentaire présentée en continu dans la salle d'exposition et montrant, sans aucun commentaire explicatif ni entretien, les hauts lieux de la production industrielle alimentaire du continent européen. Avec cette œuvre, le cinéaste offrait aux spectateurs une entrée à des zones inaccessibles. Pendant deux ans, il a filmé les employés, les lieux et les différents processus de production pour réaliser une œuvre qui examine de près l'industrie alimentaire des civilisations occidentales modernes. Œuvre poétique sans propagande, *Our Daily Bread / Notre pain quotidien* illustrait comment la productivité – développée en réponse à notre surconsommation – nous a éloignés de la réalité humaine.

Nikolaus Geyrhalter's documentary films place the customs and realities of diverse corners of the world centre stage. For ORANGE, he presented *Our Daily Bread/Notre pain quotidien*, a documentary projected in a loop in the exhibition gallery which showed, without any explanatory commentary or interview, the major sites of industrial food production in Europe. This work enabled viewers to enter otherwise inaccessible areas. For two years, he filmed employees, places and various production processes to create a work that examines from up close the food industry in modern Western civilisations. A poetic film free of propaganda, *Our Daily Bread/ Notre pain quotidien* illustrates how productivity – increased in response to our overconsumption – has distanced us from human reality.

PISTES DE LECTURE / SUGGESTED READING
journaux / newspapers [1] DEGLISE, Fabien. « La malbouffe dans tous ses états », *Le Devoir* [Montréal], 19 juin 2009, p. B3. [2] LEPAGE, Aleksi K. « On est ce que l'on mange », *La Presse* [Montréal], 17 janvier 2009, p. C10. [3] TREMBLAY, Odile. « Constat impitoyable et muet », *Le Devoir* [Montréal], 16 janvier 2009, p. B3. [4] MUHLKE, Christine. « Watch What You Eat, if You Dare », *The New York Times* [New York], 22 novembre 2006, p. F1. [5] HILLIS, Aaron. « Watching What We Eat », *Premiere* [New York], 6 octobre 2006.

Our Daily Bread / Notre pain quotidien

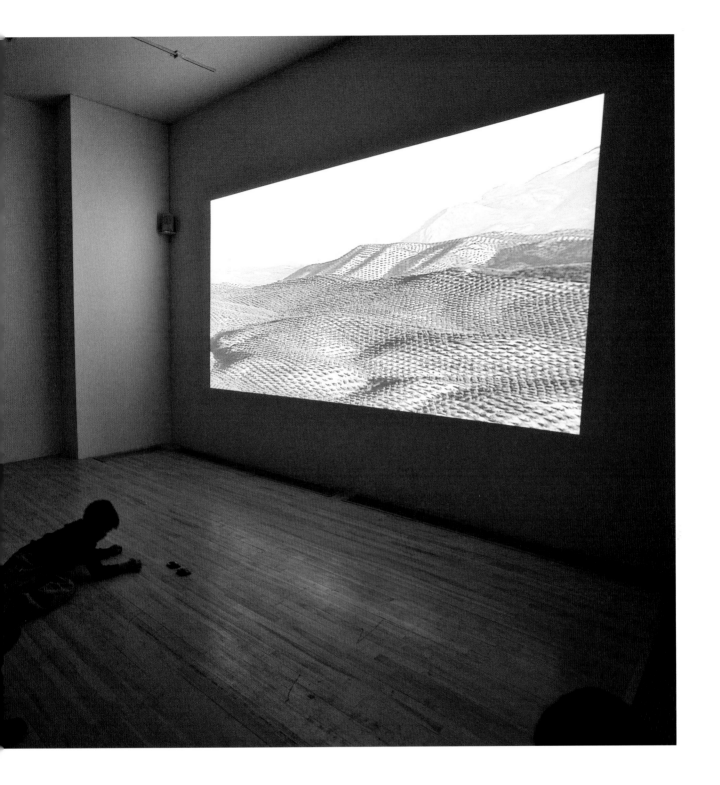

Joseph Kohnke

Le travail de Joseph Kohnke se caractérise par la transformation d'objets usuels en œuvres installatives animées. Ses œuvres se veulent des outils communicationnels pour les diverses problématiques sociales contemporaines. À l'occasion de ORANGE, l'artiste a présenté *Smart and Final*, une œuvre rassemblant une multitude de puits de pétrole miniatures. Ces puits, conçus d'ustensiles de plastiques et de mécanismes motorisés, nous rappelaient que le pétrole est la matière la plus employée dans la fabrication des emballages et des objets utilitaires, y compris ceux dont nous nous servons pour nous abreuver et nous nourrir. Avec cette œuvre, Joseph Kohnke laissait entendre que notre dépendance à l'égard de cette ressource non renouvelable est telle que celle-ci nous est devenue indispensable, au même titre que la nourriture que nous ingurgitons. Dans le prolongement de son travail de mécanisation des objets, il a également proposé l'œuvre *After the Fact*, une installation cinétique composée de quinze boîtes à lunch anciennes et d'autant de thermos. Cette production portait un regard sur l'origine et l'évolution des conflits humains. Ces accessoires de pique-nique, une fois transformés, évoquaient un champ de bataille et renvoyaient à la notion de conflit, notamment les conflits liés à la quête du pétrole.

Joseph Kohnke transforms everyday objects into animated installations. His works are communicational tools for a variety of contemporary social issues. At ORANGE, he presented *Smart and Final*, a work composed of a multitude of miniature oil wells. These wells, made out of plastic utensils and motorised mechanisms, remind us that oil is the principal ingredient of plastic bags and utilitarian objects, including those we use to eat and drink. With this work, Joseph Kohnke let it be understood that our dependence on this non-renewable resource is so great that it has become indispensable, like the food we eat. Extending his work of mechanising objects, he also presented the work *After the Fact*, a kinetic installation made out of fifteen old lunch pails and fifteen thermos bottles. This piece examined the source and evolution of human conflict. Once transformed, these picnic accessories were suggestive of a battlefield and evoked a sense of conflict, particularly the conflicts that arise out of the search for oil.

PISTES DE LECTURE / SUGGESTED READING
opuscule / brochure [1] POCREAU, Yann. *Joseph Kohnke. Marked*, Saint-Jean-sur-Richelieu, Action Art Actuel, 2008, [4] p.
périodique / periodical [2] ROBBINS, Judy. « Natural Movement », *UR Chicago* [Chicago], avril 2007.

journaux / newspapers [3] ARTNER, Alan G. « Abstract artist's twists and turns get due in retrospective », *Chicago Tribune* [Chicago], février 2008. [4] HAWKINS, Margaret. « Freedom March », *Chicago Sun-Times* [Chicago], avril 2007. [5] GODDU, Jenn Q. « Kohnke Inspired », *Chicago Tribune* [Chicago], avril 2007. [6] WORKMAN, Michael. « Eye Exam. A Random Walk », *Newcity Chicago* [Chicago], mai 2006.

Smart and Final et After the Fact

Simon-Pier Lemelin

Simon-Pier Lemelin revendique une certaine forme de multidisciplinarité dans sa pratique, adaptant le médium utilisé à la réflexion artistique. Dans son travail, l'artiste s'attarde plus spécifiquement aux notions d'identité et de territoire. En explorant un passé individuel et collectif, il tente de saisir les mœurs de la société. Pour ORANGE, il a présenté une série d'œuvres intitulée *Énoncé sociobiologique*. *Énoncé sociobiologique, volume 1*, composée de quatre photographies grand format exposées sur les parois extérieures du Marché Centre. Ces images, réalisées à Saint-Hyacinthe même, proposent diverses mises en scène montrant le type de prédateur que nous sommes devenus. Les photographies se veulent une fenêtre ouverte sur des activités marchandes ludiques, où le chasseur envahit les comptoirs du boucher et du charcutier pour se procurer une viande emballée sous vide, et le pêcheur celui du poissonnier pour prendre un poisson surgelé. En continuité avec les œuvres du volume 1, *Énoncé sociobiologique, volume 2* présente des trophées dans lesquels Simon-Pier Lemelin réinterprète, avec humour et dérision, trois parties de chasse telles que nous pourrions les concevoir aujourd'hui.

Simon-Pier Lemelin stakes out a kind of multidisciplinary quality in his work, adapting the medium in question to his artistic ideas. More specifically, he zeroes in on questions of identity and territory. He attempts to grasp our society's customs by exploring an individual and collective past. At ORANGE, he presented a series of works entitled *Énoncé sociobiologique*. *Énoncé sociobiologique, volume 1* was composed of four large-format photographs exhibited on the outdoor walls of the Marché Centre. These images, taken in Saint-Hyacinthe, feature a variety of situations showing the kind of predator we have become. The photographs were a window onto playful business activities, with a hunter breaking into the butcher's shop in search of a piece of vacuum-packed meat and a fisherman doing the same at the fish monger's to take home a frozen fish. Continuing on from the work in volume 1, *Énoncé sociobiologique, volume 2* showed trophies in which the artist reinterpreted, humorously and derisively, three hunting expeditions as we might imagine them today.

PISTES DE LECTURE / SUGGESTED READING
écrit de l'artiste / written by the artist
[1] LEMELIN, Simon-Pier. *Esthétique de la chasse et de la pêche. À la recherche du principe immatériel vital*, mémoire de Maîtrise en arts, Chicoutimi, UQAC, 2007, 67 p.
périodique / periodical [2] PARÉ, André-Louis. « Il faut bien manger », *Espace sculpture* [Montréal], n° 91, printemps 2010, p. 6-12.

journaux / newspapers [3] CARON, Jean-François. « L'allégorie de la pêche », *Voir* [Saguenay], vol. 33, n° 2, 11 juin 2008. [4] CARON, Jean-François. « Médium : Marge. Lire l'étiquette », *Voir* [Saguenay], vol. 33, n° 2, 15 mars 2007.

Buffet Toi & Moi

Nous ne

mangions

jamais

我們

在家未

曾

We

never ate

this

Shelly Low

Shelly Low s'attarde dans son travail aux notions d'identité, de perception et de culture. Elle s'intéresse ainsi aux conceptions raciales stéréotypées, fabriquées et entretenues par les concepts commerciaux de la restauration rapide. Par l'intermédiaire de sa production, elle jette un regard éclairant sur les stratégies utilisées par les restaurateurs qui se spécialisent dans la cuisine chinoise nord-américaine et qui commercialisent un folklore qui alimente les idées préconçues de la clientèle à propos de la culture chinoise. À l'occasion de ORANGE, Shelly Low a présenté une œuvre explorant la codification culturelle. Inspirée du nom d'un restaurant situé au centre de la métropole Montréalaise, *Nouilles U & Me*, l'installation *Buffet Toi & Moi* mettait en perspective les distinctions culturelles entre le soi *(Me)*, l'autre *(U)* et la culture chinoise, dans une relation qui s'établit souvent par l'entremise des restaurants que nous fréquentons et des aliments que nous mangeons.

Shelly Low focuses on notions of identity, perception and culture, exploring racial stereotypes that are created and maintained by the commercial concepts found in the fast food industry. Her work illuminates the strategies used to market North American Chinese food. Owners of Chinese restaurants trade in folklore that feeds their customers' preconceived ideas about Chinese culture. At ORANGE Shelly Low presented a work which explored cultural codification. Inspired by the name of a restaurant located in downtown Montreal, *Nouilles U & Me*, the installation *Buffet Toi & Moi* brought out the cultural distinctions between the self *(Me)*, the other *(U)* and Chinese culture, a relationship that often takes shape through the restaurants we frequent and the food we eat.

PISTES DE LECTURE / SUGGESTED READING
catalogues [1] MING WAY JING, Alice. *Redress Express*, Vancouver, Centre A, 2007. [2] YUDAI, Iris. *Self-Serve at La Pagode Royale*, Winnipeg, AceArt, 2006.
opuscules / brochures [3] MARTIN, Anne. *Shelly Low. Waterwork*, Montréal, Articule, 2000, 4 p. [4] LAMONTAGNE, Valérie et Vida SIMON. *Compact Abundance. Shelly Low and Kelly Mark*, Montréal, Articule, 1996, [4] p.

périodiques / periodicals [5] MING WAI JING, Alice. « Redress Express. Chinese Restaurants and the Head Tax Issue in Canadian Art », *Amerasia Journal* [Los Angeles], vol. 33, n° 2, 2007. [6] DE PALMA, Kristen. « NAC Installation explores cultural identity », *The Brock Press* [St. Catherines], vol. 41, n° 13, novembre 2005. [7] MARTEL, Richard. « Shelly Low. Télégraphe », INTER, *art actuel* [Québec], n° 79, été – automne 2001.

Buffet Toi & Moi

Troy David Ouellette

Les œuvres de Troy David Ouellette questionnent les rapports antagoniques entre éthique et abus, entre abondance et carence, et ce, d'un point de vue artistique, social, culturel et philosophique. Privilégiant l'utilisation d'objets de production massive pour réaliser ses œuvres, l'artiste critique et confronte nos idéaux culturels relativement aux notions d'éthique et d'esthétique. Pour ORANGE, il proposait *Fog Factory*, une œuvre présentée au public en extérieur. Conçue avec des objets de plastique issus de la société consumériste, l'œuvre mettait en perspective le rapport entre la crise environnementale et nos habitudes consommatoires postmodernes. Cette œuvre portative faisait référence à la révolution industrielle tout en évoquant l'idée d'un monde futur où les seuls matériaux disponibles seront des déchets provenant de l'industrie pétrolière. De façon ironique, la construction de cette sculpture apparemment chargée d'un message écologique et militant dépendait de l'industrie et des matériaux qu'elle dénonçait. En guise de complément, l'artiste présentait également *Diversions*, une série de maquettes de sous-marins et d'avions conçues de matières plastiques et d'objets de production de masse. Avec cette série, l'artiste inventait un nouvel usage pour les technologies et l'équipement militaires en leur donnant une portée environnementale.

Troy David Ouellette employs an artistic, social, cultural and philosophical perspective to examine the antagonistic relationship between ethics and abuse, abundance and lack. Employing mass-produced objects to create his works, he critiques our cultural ideals and places them in relation to notions of ethics and aesthetics. At ORANGE, he presented the outdoor public work *Fog Factory*. Made out of plastic objects deriving from consumer society, it cast into relief the relationship between the environmental crisis and our postmodern consumer habits. This portable work was a reference to the industrial revolution at the same time as it evoked the idea of a future world in which the only materials available would be waste products from the petroleum industry. Ironically, the construction of the sculpture, seemingly bearing an ecological and activist message, depended on the industry and the materials it denounced. To complement the work, Ouellette also showed *Diversions*, a series of model submarines and airplanes made out of plastic materials and mass-produced objects. With this series, he invented a new use for military technology and equipment by conferring on them an environmental dimension.

PISTES DE LECTURE / SUGGESTED READING
écrits de l'artiste / written by the artist
[1] OUELLETTE, Troy David. *At the Boundary of the Self*, Toronto, Université York, 2010.
[2] OUELLETTE, Troy David. *Another Fine Mess: Ghost Writing in the Cultural Debris Field*, mémoire-création de Maîtrise en beaux-arts, Windsor, Université de Windsor, 2007.
catalogues [3] REID, Mary. *Lines of Flight*, Windsor, Art Gallery of Windsor, 2011.
[4] DRISCOLL, Ellen. *Near Everywhere*, Massachusetts, GASP / Lulu Publications, 2009.

opuscule / brochure [5] DUBEAU, Janelle. *Reading Between the Lines. Code and language unite artists in Networks*, Calgary, Truck Gallery, 2009, 4 p.
journaux / newspapers [6] LE VAN, Katy. « Écologie des détritus. Du détritus à l'objet », *Voir* [Gatineau], vol. 33, n° 2, 29 avril 2010.
[7] BELLAVY, Emily. « This Garbage Talks », *Windsor Star* [Windsor], 3 juillet 2007, p. C1.

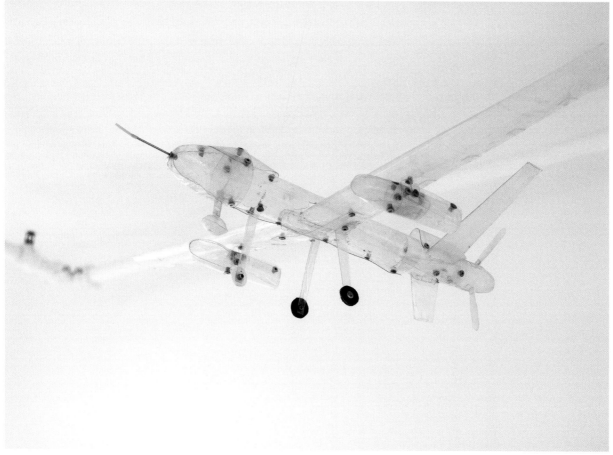

Fog Factory et Diversions

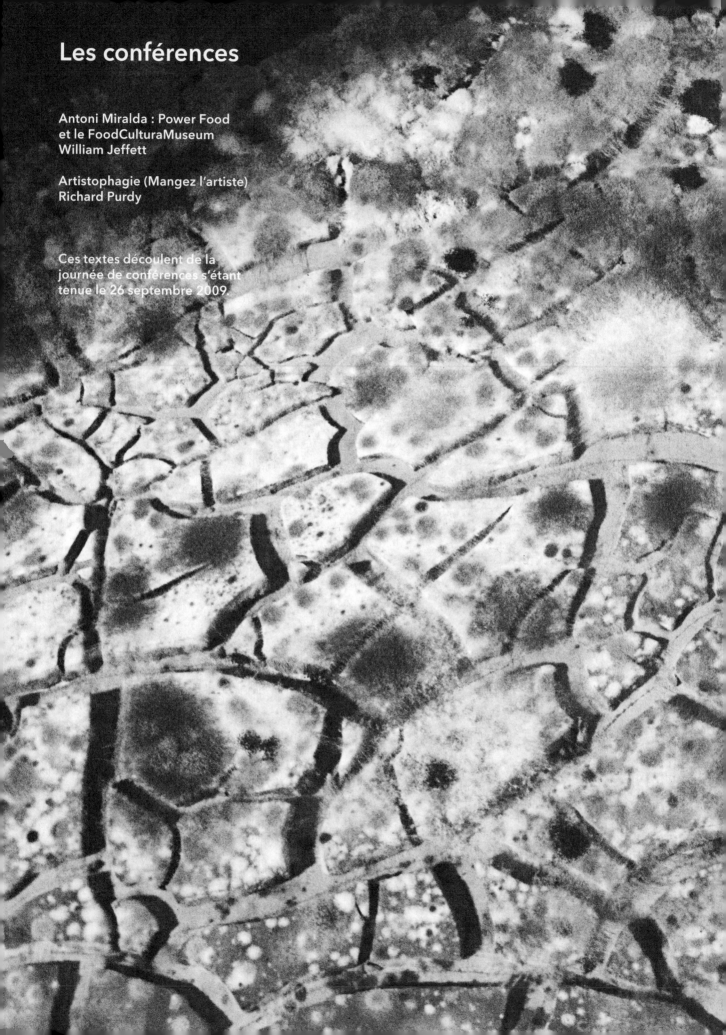

Les conférences

Antoni Miralda : Power Food
et le FoodCulturaMuseum
William Jeffett

Artistophagie (Mangez l'artiste)
Richard Purdy

Ces textes découlent de la
journée de conférences s'étant
tenue le 26 septembre 2009.

Conferences

Antoni Miralda: Power Food
and the FoodCulturaMuseum
William Jeffett

Artistophagy (Eat the Artist)
Richard Purdy

These texts are revised
versions of the public talks
given on 26 September 2009.

[8] Daniel Corbeil. *Étuveuse climatique*, 2004-2009

ARCHIVE ⬥
FOODCULTURAMUSEUM

ARCHIVE ⬥
FOODCULTURAMUSEUM

ARCHI
FOODCULTURAM

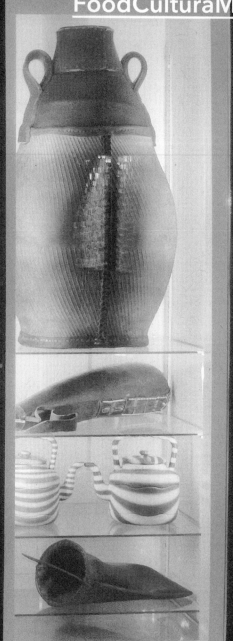

Antoni Miralda :
Power Food et le
FoodCulturaMuseum

William Jeffett

Antoni Miralda, artiste catalan de réputation internationale, travaille à son projet FoodCulturaMuseum depuis 2000, l'élargissant et l'enracinant aussi bien en Europe que dans les Amériques. Comme ce fut le cas pour les premiers travaux de l'artiste, dans les années 1960, qui comportaient des événements et des performances socialement engagés faisant appel à des rituels alimentaires, le FoodCulturaMuseum est une entreprise collaborative qui réunit des équipes capables de documenter, d'archiver et de présenter différents aliments et objets connexes.

Page de gauche
Antoni Miralda, détail de l'installation *Food Pavilion*, présentée en 2000 à l'occasion de l'Exposition internationale de Hanovre, en Allemagne.

Poétique par sa nature et ouvert par sa structure, le projet poursuit toutefois un objectif politique. Miralda présente ses objets de manière à nous y engager et à susciter une réflexion sur certains enjeux sociaux et économiques. Essentiellement, il met en cause la nature de notre relation avec la nourriture en cette ère de mondialisation et de marchandisation. Comment la marchandisation de la nourriture change-t-elle notre conception de l'alimentation ? Comment les forces de la mondialisation influent-elles sur les méthodes traditionnelles de cuisine et de nutrition de base ? Quelle est la nature de la mémoire alimentaire et quel rôle joue-t-elle ? Comment pouvons-nous concevoir autrement notre relation avec les aliments, la nature et l'environnement ?

Cette nouvelle phase dans la carrière de Miralda découle d'une commande visant la conception d'un Pavillon de l'Alimentation à l'Exposition internationale de Hanovre en 2000, où il a inauguré l'exposition, de type muséal, d'aliments et d'articles connexes. Un élément central du Pavillon de l'Alimentation était l'*Infinity Table* où se déroulaient à tous les jours des performances. Épousant la forme du symbole infini, cette table géante incorporait des vitrines où des objets se trouvaient regroupés selon les catégories ouvertes et lyriques définies par l'artiste : Movable Feast, Awake Around the Clock, Milk and Blood, The Drugstore, Sweet Life Sweet Death, Feed and Greed, Food Design – Designer Food, The Potato and the Others, The Sacred and the Profane, Super Market, Manners and Rituals, The Dream Museum, The Kitchen, The Poetical Gut, Serving and Eating Implements, Taste and Talk, Learning by Playing, Planet Water Recipes, Gourmet Menu, Illusions, Before-After, Farmers Market.

Miralda n'a aucune prétention scientifique quant au statut de ces catégories qui sont plutôt destinées à opérer aux nombreux et différents niveaux que comporte un travail fait dans de nombreuses et différentes disciplines (sociologie, économie, politique, écologie, agronomie, arts, etc.).

Tongue of Tongues était également présentée à Hanovre ; cette langue géante, composée de photographies de langues, se tenait près d'un mur où étaient accrochées de grandes assiettes représentant des langues et des villes du monde entier. Amorcée en 1997 pour la Biennale d'Istanbul,

[1] JEFFETT, Wiiliam. « Saveurs et Langues », @ table !, Journal 3, Sète, Musée International des Arts Modestes et FoodCulturaMuseum, 2009.

la série *City Plates* est également déclinée, mais différemment, dans le projet *Saveurs et Langues*, que Miralda a présenté à Miami, dans des capitales latino-américaines et en Europe. Comme je l'ai écrit au sujet d'une présentation en France, « *Saveurs et Langues* est un projet de mémoire qui s'oppose au déferlement de l'uniformisation et de l'industrialisation culinaires. Pour résister, Miralda-FoodCulturaMuseum tente de préserver différentes traditions liées à nos rituels alimentaires. Parallèlement, il documente et retrace la façon dont les sociétés, à travers le monde, ont transformé les ingrédients primaires de la nourriture en un produit élaboré. [...] l'anthropologie n'est pas loin [1]. » Ces efforts comprennent la préservation, dans des bases de données, de souvenirs liés à la nourriture ainsi qu'un travail auprès des gens pour retrouver leur mémoire d'aliments en tant qu'héritage culturel.

En vue d'élargir son projet, Miralda a de plus en plus puisé dans les représentations populaires de la nourriture pour explorer les structures de pouvoir qui façonnent la transformation de la nourriture et de sa culture, ainsi que son impact sur la production et les revenus locaux.

En septembre 2009, les producteurs de lait français ont fait la grève en raison des coupures radicales des prix du lait qu'imposait la politique de l'économie de marché de l'Union européenne. En protestation, ils ont déversé des millions de litres de lait près du célèbre mont Saint-Michel. Le journal *L'Humanité* titrait un article comme suit : « Lait : la lutte aux armes blanches ». L'année précédente, le fermier et activiste anti-mondialisation français, José Bové, a sonné l'alarme dans une interview publiée dans *Newsweek* (14 mars 2008 [notre traduction]) : « N'oublions pas une chose : l'agriculture et le libéralisme économique ne sont pas compatibles. Il s'agit là d'un concept critique que nous devons comprendre de toute urgence. Les politiques liées à l'agriculture doivent être renforcées pour servir un but principal : nourrir la population et nourrir les gens de la place. La population d'un pays ou d'un territoire devrait avoir le droit d'être nourrie par les ressources de ce pays. » Bové formule les problèmes à partir de leur effet direct sur les communautés rurales et fermières, et il argumente que l'agriculture mondialisée, industrialisée, est nocive à la fois pour la santé du consommateur et pour la main-d'œuvre locale bien rémunérée. Il défend une approche artisanale à la production alimentaire, et ses arguments sont convaincants.

En 2008, Miralda a abordé ces enjeux dans l'exposition *Power Food*, tenue à Artium, à Vitoria-Gasteiz, et à Es Baluard, à Palma de Mallorca, et dans le livre connexe *Power Food LEXIcom*. L'un des centres d'intérêt de l'exposition était les boissons énergétiques. Prenant la forme de missiles, les assemblages de canettes portaient des étiquettes donnant les « Nutrition Power Facts », mais plutôt que les renseignements usuels – calories, glucides, etc. –, celles-ci affichaient des catégories comme *Agro-business, Biofuels, Light vs. Fat, Hunger, Import-Export, Foodlandia, Food Insecurity* et *Genetically Modified Food*, toutes conçues pour accentuer notre conscience des facteurs qui façonnent la production alimentaire et sa consommation.

Antoni Miralda, détail de l'installation *Food Pavilion*, présentée en 2000 à l'occasion de l'Exposition internationale de Hanovre, en Allemagne

L'exposition *@ table !* (2009), tenue au Musée International des Arts Modestes à Sète, en France, incluait les « Nutrition Power Facts », mais allait au-delà d'enjeux sociaux et économiques pour engendrer une compréhension plus générale de la nourriture. Le texte d'introduction à l'entrée se lisait comme suit : « L'exposition *@ table* propose une réflexion poétique et critique sur la culture de la nourriture et de l'alimentation, invitant le spectateur à réfléchir sur les correspondances entre nourriture, art et culture. Ce regard définit un parcours en boucle, présentant les connexions infinies qui existent entre nutrition, énergie, rites et pouvoir ; il fait aussi le constat des liens entre mémoire culinaire, culture populaire, croyances et aliment/médicament, science, gastronomie et haute culture. » Bref, l'attention était ici de nature plutôt anthropologique.

Antoni Miralda, détail de l'installation *Food Pavilion*, présentée en 2000 à l'occasion de l'Exposition internationale de Hanovre, en Allemagne

Antoni Miralda : Power Food et le FoodCulturaMuseum

L'exposition commençait avec la *Salle à manger Tabou* qui réunissait un ensemble de tables recouvertes de « nappes défendues » arborant le symbole rouge d'interdiction. Tout autour, des chaises rouges portaient des mots reliés à la nourriture, comme *Eating*, *Fast Food* et *Famine*. Les visiteurs étaient invités à s'asseoir et à échanger entre eux à des tables qui constituaient effectivement un espace social de dialogue.

Consacrées au thème de la langue, les *City Plates* étaient exposées dans un corridor menant aux salles, alors qu'au plafond de la salle principale étaient suspendues des langues géantes réalisées dans des canettes de boisson gazeuse au cola comme Inca Cola, Champagne Cola, Materva, Cocorico et Watermelon Soda, qui évoquaient des identités alimentaires nationales et régionales. À l'extérieur du musée, Miralda avait créé un « *Réservoir végétarien ou carnivore | tri uni corn garden*[2] », un espace contemplatif constitué d'un jardin d'herbes aromatiques et de la sculpture, en résine polyester, d'une vache-cochon-agneau provenant de sa parade *Wheat & Steak*, présentée à Kansas City en 1981.

Miralda situe l'idée de la Power Food dans de vastes contextes sociaux et anthropologiques, et il la définit comme étant « le pouvoir de la nourriture à travers le capital d'énergie et le rituel ». À Sète, son installation *Mythologie populaire* soulignait le fait que « la nourriture fait partie de toutes les histoires » et sa présence dans la culture populaire y était documentée par un vaste échantillonnage d'objets : pochettes d'album vinyle, films, dessins animés et bandes dessinées, entre autres. Ailleurs dans l'exposition, des articles puisés dans les archives du FoodCulturaMuseum étaient organisés par catégories dans des cabinets « frigidaires » avec devanture en verre et éclairage, alors que d'autres montraient leurs boîtes de rangement en plastique blanc, ce qui donnait une idée de l'étendue des items inclus dans le projet.

Le collectionnement, la documentation et l'organisation d'artefacts alimentaires de toutes sortes sont un aspect essentiel du projet Food-CulturaMuseum. Produits, ustensiles et représentations, tous ces objets composent les collections de ce modèle de musée alternatif. Comme le dit lui-même Miralda, ce sont des « collections conçues pour explorer et préserver l'identité culturelle et la mémoire culinaire de la planète ».

Basé à Barcelone et à Miami, le FoodCulturaMuseum est un organisme à but non lucratif qui a un statut de fondation en Espagne mais, même s'il dispose d'une certaine structure, il n'a rien d'un musée conventionnel. Il s'agit plutôt d'un *work in progress*, à la recherche de ressources et de cadres institutionnels plus vastes, mais dépendant toujours de la bonne volonté de réseaux souples de bénévoles et autres intéressés. C'est peut-être l'artiste César Trasobares qui résume le mieux sa nature novatrice : « Le FoodCulturaMuseum est le projet qui a donné naissance à FoodCultura, le point de départ d'un vaste réseau d'associations et de contacts créé afin d'analyser, étudier, collecter, conserver et présenter l'évolution des cultures alimentaires à travers les frontières politiques, sociales, économiques et interpersonnelles. En tant qu'organisation à but non lucratif basée à Barcelone, la Fundación FoodCultura a pour vocation de soutenir et dynamiser de futurs partenaires individuels et institutionnels pour approfondir et élargir la mission de FoodCultura[3]. »

[2] Il s'agit d'une œuvre composée de trois cornes conçues de *maíz*, un riz indien.
[3] TRASOBARES, César. « FoodCultura : du mythe au produit », *@ table !*, Journal 4, Sète, Musée International des Arts Modestes et FoodCulturaMuseum, 2009.

Antoni Miralda:
Power Food and the
FoodCulturaMuseum

William Jeffett

The internationally acclaimed Catalan artist Antoni Miralda has been building the FoodCulturaMuseum since 2000, expanding and anchoring the project across Europe and the Americas. Like his earlier work, begun in the sixties with socially engaged events and performances involving food rituals, FoodCulturaMuseum is a collaborative effort, with teams recruited to document, archive and exhibit all manner of foodstuffs and related objects.

Although poetic in nature and open in structure, the project has a political aim. Miralda presents objects in a way that engages the viewer, prompting reflection on social and economic issues. In essence, he questions the nature of our relationship with food in an age of globalisation and commodification. How does commodifying food change our notion of sustenance? How are globalising forces affecting traditional cooking methods and basic nutrition? What is the nature of food memory and what role does it play? How can we conceive our relationship with food, nature and the environment differently?

This new phase of Miralda's career grew out of a design commission for the Food Pavilion at the 2000 Hanover World's Fair, where he pioneered the museum-style exhibition of food and related items. A central feature of the Food Pavilion was the *Infinity Table*, the scene of daily cooking performances. This giant table, shaped like the infinity symbol, incorporated display cases of objects grouped according to the artist's lyrical, open-ended categories: Movable Feast, Awake Around the Clock, Milk and Blood, The Drugstore, Sweet Life Sweet Death, Feed and Greed, Food Design - Designer Food, The Potato and the Others, The Sacred and the Profane, Super Market, Manners and Rituals, The Dream Museum, The Kitchen, The Poetical Gut, Serving and Eating Implements, Taste and Talk, Learning by Playing, Planet Water Recipes, Gourmet Menu, Illusions, Before-After, Farmers Market.

Miralda lays no claim to scientific status for these categories, which are designed to function at the many different levels inherent to working with teams from many different disciplines (sociology, economics, politics, ecology, agronomy, the arts, etc.).

Another feature at Hanover was *Tongue of Tongues*, a giant tongue made up of photographs of tongues, which stood near a wall hung with dinner plates representing tongues and cities from around the world. The *City Plates* series, begun in 1997 for the Istanbul Biennial, also appears in variations of the project called *Tastes and Tongues*, which Miralda has presented in Miami, Latin American capitals and Europe. As I wrote of a showing in France, "*Tastes and Tongues* is a memory project that opposes the sweeping rise of food standardisation and industrialisation.

Left page
Antoni Miralda, *Food Pavilion*, detail of an installation showed in 2000 at the Hanover World's Fair, in Germany.

[1] JEFFETT, William,."Saveur et langues", @ table !, Journal 3 (Sète: Musée International des Arts Modestes and FoodCulturaMuseum, 2009).

The Miralda-FoodCulturaMuseum resists this trend by attempting to preserve traditions linked to our culinary rituals. At the same time, it researches and documents the ways societies around the globe have transformed the raw material of food into a processed commodity. ...This is not far from anthropology." [1] These efforts include preserving food-related memories in databases and working with diverse peoples to recover food memory as cultural heritage.

In expanding the project, Miralda has drawn increasingly on popular representations of food to explore the power structures shaping the transformation of food and food culture and its impact on local production and livelihood.

In September 2009, French diary farmers went on strike over steep cuts to milk prices imposed under EU free-market policy. In protest, they dumped millions of litres of milk near the famous Mont Saint-Michel. The newspaper L'Humanité headlined the story "Lait : La lutte aux armes blanches (Milk: A battle with white weapons – a play on the term for 'knives')." The previous year, the French farmer and anti-globalisation activist José Bové sounded the alarm in an interview with Newsweek (March 14, 2008): "One thing we have to keep in mind: agriculture and economic liberalism are not compatible. That is a critical concept and one that we must understand urgently. Agricultural policies must be enforced toward one main goal: nourish people and nourish the locals. People from one country or territory should be granted the right to be fed from the resources of their country." Bové couches the problems in terms of their direct impact on rural and farming communities, arguing that mass-market, globalised agriculture is bad for both consumer health and well-paid local employment. He advocates an artisanal approach to food production, and his arguments are compelling.

In 2008, Miralda addressed these issues in the exhibition Power Food, held at Artium, Vitoria-Gasteiz, and Es Baluard, Palma de Mallorca, and in the related book Power Food LEXIcom. One focus of that show was on energy drinks. The missile-shaped assemblages of cans were labelled with "Nutrition Power Facts," but instead of the usual information – calories, carbohydrates, etc. – the charts featured categories such as Agro-business, Biofuels, Light vs. Fat, Hunger, Import-Export, Foodlandia, Food Insecurity and Genetically Modified Food, all designed to heighten viewer awareness of the factors shaping food production and consumption.

The exhibition @ table ! (2009), held at the Musée International des Arts Modestes in Sète, France, included the Nutrition Power Facts but went beyond social and economic concerns to encourage a broader understanding of food. The introductory text at the entrance read like this: "The exhibition @ table ! invites visitors to learn about the myriad interrelations of food, nutrition, energy, ritual and power. Miralda's presentation reveals the complexity and subtlety of the links between culinary memory, popular culture, beliefs, food, medicine, science, technology, gastronomy and haute culture." In short, the focus here was more anthropological.

Antoni Miralda: Power Food and the FoodCulturaMuseum

The show opened with *Taboo Dining Room*, an arrangement of tables marked with the red prohibition sign. Around them were red chairs lettered with food-related words like Eating, Fast Food and Famine. Visitors were invited to sit and converse at the tables in what was effectively a social space for dialogue.

The tongue-themed *City Plates* were exhibited in a corridor leading to the galleries, and the main gallery ceiling was hung with giant tongues made of cola drink cans with brand names like Inca Cola, Champagne Cola, Materva, Cocorico and Watermelon Soda, evoking different national and regional food identities. Outside the museum, Miralda created a "vegetarian or carnivore reserve" / "tri uni corn garden," a contemplative space consisting of an herb garden and a polyester resin cow-pig-and-lamb sculpture from his 1981 *Wheat & Steak* parade in Kansas City.

Miralda situates the idea of Power Food within broad social and anthropological contexts, defining it as "the power of food through the capital of energy and ritual." At Sète, his *Popular Mythology* installation underlined the fact that "food is a part of all histories" and documented its presence in popular culture with a vast array of objects ranging from vinyl album covers to movies, cartoons and comic books. Elsewhere in the exhibition, selected items from the FoodCulturaMuseum archives were arranged by category in illuminated glass-fronted refrigerators, while others were shown in their white plastic storage boxes to give a sense of the enormity of the project's holdings.

Collecting, documenting and organising food artefacts of every sort are an essential aspect of the FoodCulturaMuseum project. From products to implements and representations, these objects make up the collections of this alternative museum model. In Miralda's words, they are "collections meant for exploring and preserving the cultural identity and culinary memory of the planet."

Based in Barcelona and Miami, FoodCulturaMuseum is a non-profit organisation with foundation status in Spain, but despite a certain degree of structure, it is nothing like a conventional museum. It is a work in progress, seeking greater resources and institutional frameworks but still dependent on the good will of loose networks of volunteers and other interested parties. Its innovative nature is perhaps best explained by the artist César Trasobares: "The FoodCulturaMuseum project gave rise to FoodCultura, the departure point for a vast network of associates and contacts established to analyse, study, collect, preserve and present the evolution of food cultures across political, social, economic and interpersonal boundaries. As a non-profit organisation based in Barcelona, the role of the Fundación FoodCultura is to support and motivate future individual and institutional partners so as to enhance and expand the FoodCultura mission." [2]

[2] TRASOBARES, César. "FoodCultura : du mythe au produit," *@ table !, Journal 4* (Sète: Musée International des Arts Modestes and FoodCulturaMuseum, 2009).

Antoni Miralda: Power Food and the FoodCulturaMuseum

Antoni Miralda, *Food Pavilion*, detail of an installation showed in 2000 at the Hanover World's Fair, in Germany

Artistophagie
(Mangez l'artiste)

Richard Purdy

Je vis dans un coin retiré, sur un chemin de terre à la campagne, au centre du Québec. Ici, loin des bruits de la ville, il est facile de remarquer à quel point l'on est privé d'apport sensoriel en hiver. À quoi ressemble l'hiver dans le Québec rural ? Il n'y a ni odeur, ni son, ni couleur ; le toucher est limité, toutes les parties du corps étant emmitouflées contre la froidure ; et la lumière se fait discrète. Les expériences sensorielles y sont aussi peu nombreuses que sur la lune. En tant que citadin invétéré, je ne m'attendais pas à ce que le premier coup de tonnerre au printemps soit si *terrible*, que l'âcreté du fumier lors de la fertilisation printanière soit si *viscérale* ou que le fœtor de l'insectifuge appliqué sur les mains et le visage, au début de la saison de la mouche noire, soit si *pénétrant*. Tout cela m'a profondément frappé lorsque je suis arrivé à la campagne, et je me suis demandé si je resterais sain d'esprit en passant la moitié de l'année dans un congélateur sensoriel et l'autre, dans un incubateur sensoriel. Il n'est donc pas étonnant qu'un événement comme ORANGE ait vu le jour dans le Québec régional, là où les artistes vivent en harmonie avec les fluctuations saisonnières qui heurtent leurs expériences sensorielles et avec les effets qu'elles ont sur tous les aspects de leur vie.

Tout comme le toucher et l'odeur, les goûts suscitent souvent une peur sociale. « Mangeons-nous sainement ? », demande bravement le docteur Béliveau[1] à ses coanimateurs à chaque vendredi soir à la télévision locale, alors que le gourou des médias, Oprah Winfrey, définit le goût comme une réelle source de culpabilité. Noritoshi Hirakawa, artiste japonais vivant maintenant à New York et utilisant l'odorat comme matériau dans ses œuvres, déclarait que « le potentiel de l'odorat en soi rend les gens craintifs et anxieux[2] » dans une interview avec la critique d'art Jennifer Fisher. Toutefois, les odeurs et les goûts peuvent également être rassurants et réconfortants. La plupart des cuisines nationales ont une interface dont la saveur est holistique et emblématique : le maïs et le piment rouge au Mexique, comme le riz et le soja au Japon, incarnent l'identité nationale de manière profondément affective. L'art sensoriel circule dans le corps telle une expérience, comme une saveur, une odeur, aimée ou détestée, connue ou inconnue. L'expérience sensorielle a cette étrange particularité : même si jamais on ne l'a vécue, elle finit toujours par sembler familière ; même si jamais on ne l'a visitée, elle finit toujours pas sembler connue.

Nos têtes bourdonnent d'images et de slogans. Entre nous et le monde se dresse toute la somme des discours sur laquelle repose l'édifice de la visualité[3]. Internet demeure essentiellement un médium de lecture dans lequel l'iconicité est assujettie à la littératie[4]. Ayant recouvré mes sens à la campagne, je suis à la recherche d'un contrepoids à ma propre arrogance rétinienne typiquement urbaine. Je cherche à renouveler ma relation avec mon propre corps. Suis-je en train de devenir non civilisé[5] ? Est-ce la raison pour laquelle j'ai commencé récemment à m'intéresser

Page de gauche
Richard Purdy, *Chromaosmlys*, 2009. Performance au Laboratoire de recherche création en arts sensoriels SAVEUR de l'Université du Québec à Trois-Rivières.
[1] Voir Richard Béliveau et Denis Gingras, *Cuisiner avec les aliments contre le cancer*, Outremont, Éditions du Trécarré, 2006.
[2] DROBNICK, Jim et FISHER, Jennifer. « An Interview with Noritoshi Hirakawa », *Parachute 88* (1997), p. 30-35. [Notre traduction.]
[3] L'International Visual Methodologies Project, basé à la faculté de l'éducation de l'Université McGill, a été créé par un groupe de chercheurs, d'artistes et d'éducateurs intéressés par l'avancement de l'étude et de l'utilisation de méthodologies visuelles dans la recherche sociale ; voir ivmproject.ca
[4] DIAMOND, C.T.P. et MULLEN, C. A. [dir.]. *The Postmodern Educator: Arts-based Inquiries and Teacher Development*, New York, Peter Lang, 1999.
[5] Je le suis, si la définition de civilisé est de vivre à la ville.

[6] HOWES, David. *Empire of the Senses: The Sensual Culture Reader*, Oxford, Berg, 2003, p. 384.

à l'importance du goût et de l'odorat ? Les osmyles (molécules de l'odorat) et les exhausteurs de goût (ions du goût) ramènent des souvenirs liés à un passé, une demeure, dans une culture qui, elle, est de plus en plus aux prises avec des simulations, bien qu'elle en soit lasse. Aucun texte ou image ne peut communiquer l'expérience de la saveur : l'art sensoriel doit se vivre pour être compris et apprécié. En raison de leur caractère informe, les odeurs et les saveurs sont incomplètes. Dédaignés mais utiles, masqués par notre culture olfactophobique mais influents, énigmatiques mais vécus sur le champ, abstraits mais intensément puissants, les goûts et les odeurs provoquent des émotions fortes[6].

Richard Purdy, *Chromaosmlys. Quatre verts*, 2009. Détail d'une performance au Laboratoire de recherche création en arts sensoriels SAVEUR de l'Université du Québec à Trois-Rivières

Bien que le visuel ait instauré depuis longtemps son hégémonie, l'héritage mondial de la musique et de la poésie récitée atteste la viabilité des formes artistiques non visuelles. J'ai commencé à explorer pourquoi les sens chimiques ne sont pas arrivés à engendrer un tel respect ou un tel développement et pourquoi, jusqu'à tout récemment, ils n'ont pas reçu une attention semblable de la part des artistes. Cette recherche est ancrée dans l'*intersensorium*, cet endroit où la mémoire des odeurs et des goûts active directement nos émotions, court-circuitant ainsi le verbal et dépassant l'intellectuel. Il s'agit là du lien phénoménologique de l'identité, puisque notre nourriture et notre manière de sentir constituent des choix qui sont parfois, mais pas toujours, culturels. Ce sont des ponts menant à notre héritage, des liens interpersonnels entre nous et des insignes porteurs d'une charge culturelle, raciale et sexuelle. Le but de cette recherche n'est pas de remplacer l'art par la sensation, mais de créer des renvois résonants et significatifs à la mémoire par le biais des sens. Je me suis demandé si cette approche ne pouvait pas devenir un cul-de-sac artistique (comme le cubisme ou la musique sérielle à douze sons), qui ne se modifierait qu'à l'intérieur d'un registre limité d'expériences. Mon impression est que ce n'est pas le cas parce que cette approche n'est pas conceptuelle ; elle s'appuie sur des impératifs biologiques : tout le monde doit manger et sentir pour survivre. Une fois que les odeurs et les goûts se sont manifestés dans la culture, ils deviennent des choix, la signature même de l'identité et de la diversité culturelles. Nous sommes à ce point acculturés que nous ne le

[7] « Aren't You Glad You're You? », Burke/Van Heusen, chanson enregistrée par Doris Day le 6 septembre 1945. [Traduction libre : « Quand d'une rose vous approchez, n'êtes-vous pas fier d'avoir un nez ? ».]

Richard Purdy, *Chromaosmlys. Quatre plats*, 2009. Détail d'une performance au Laboratoire de recherche création en arts sensoriels SAVEUR de l'Université du Québec à Trois-Rivières

voyons plus. *Par exemple, qui a dit aux Canadiens que c'était normal d'uriner dans l'eau potable ?* L'art sensoriel sera toujours enraciné dans la culture et, ainsi, lié à l'expérience et à la mémoire, que cette culture existe vraiment ou qu'elle soit l'une de mes inventions. Les œuvres d'art qui en résultent mettront une telle valeur sur l'expérience immédiate que je me demande comment nous arriverons à les documenter. Les aromates et les exhausteurs de goût ont une capacité étrange d'établir une ambiance et de créer des environnements qui évoquent des émotions fortes. Comme le chante Doris Day, « *Every time you're near a rose, aren't you glad you've got a nose?*[7] »

Au mieux, l'installation d'art sensoriel transgresse le sensationnalisme en mettant l'accent sur l'importance des expériences sensorielles, sur leur signification dans la culture, sur leur réalité ou leur irréalité, et sur les liens sensuels qui sont construits à travers elle jusqu'aux souvenirs et aux lieux. Au pire, l'installation d'art sensoriel est un *freak show* et, comme une bonne part des films d'aujourd'hui, elle n'est qu'une enfilade de chocs physiques. Pour établir une phénoménologie de l'art sensoriel, les différences entre le point de vue (biochimique et neurologique) du scientifique et celui de l'artiste (mémoire et sens) sur les sens chimiques doivent être reconnues et mises au jour.

Notre civilisation est de plus en plus reliée à des simulations, mais elle en est aussi lasse. En général, la journée de travail se déroule devant un écran ; lorsque nous rentrons à la maison, nous passons notre temps devant d'autres écrans : télévision, navigateur, téléphone. Même une peinture est une simulation, et l'artiste est l'un des nombreux magiciens fatigués qui excellent à tous ces trompe-l'œil qui nous protègent totalement de la réalité.

Le monde de l'art semble ne plus avoir besoin des artistes. Les biennales internationales, les méga-expositions, les commissaires vedettes, les lieux prestigieux et les critiques dépourvus d'impartialité constituent une machine énorme et malade qui ne cesse de jacasser et qui peut facilement continuer à le faire, tant elle est alimentée par son volume prodigieux. Par contre, il faut dire que lorsqu'un artiste s'éteint, l'intérêt renaît à son sujet : les historiens de l'art se jettent sur la dépouille, comme pris d'une frénésie doctorale dévoratrice. Allez-y, mangez l'artiste – voici la saveur du mois.

La grande baleine du réductionnisme scientifique se meurt sur une plage inondée de soleil. Son dernier frisson convulsif avant de mourir se manifeste au monde sous forme de réseau électronique. Le présent www.technologie est-il aussi dénué de signification que tous les autres aspects du progrès technologique ? Nos paradigmes sont en mauvais état, puisque la spécialisation stérilisée a durci nos activités disciplinaires pour en faire des artefacts qui ressemblent aux légumes surgelés de notre tiroir de congélateur. Contrairement à la viande qui pourrit sur la plage, l'homogénéité des théories surgelées sur la réalité disciplinaire peut être dégelée et consommée plus tard dans l'avenir, si nous sommes encore là pour réchauffer ces théories. La science a rattrapé et surpassé mon travail. Les obscènes notes de bas de page que je crée ne choquent plus personne puisque, dans la plupart des cas, le monde universitaire s'est lui-même débarrassé de ses « vaches sacrées ». Le trouble a déjà été semé et les scientifiques se retrouvent maintenant avec les artistes dans le champ des associations libres et du n'importe quoi relatif. Inconscients de l'odeur de pourriture, les petits créationnistes de la recherche interdisciplinaire bourdonnent activement autour des écueils disciplinaires, cherchant désespérant des points d'attache.

La science est en soi une activité ésotérique, pratiquée *in extremis* par une poignée de débiles sans vie sociale ou sans petite amie. Les artistes, toutefois, ne peuvent pas survivre sans petite amie. Les contacts sont notre nourriture et nous passons nos vies à diversifier le menu et à nous empiffrer dès que possible. Dans le monde de l'art, moins on en fait et moins on *peut* en faire. Cela découle du fait qu'une œuvre d'art ne doit pas être considérée comme un objet physique (ou un texte ou une suite de sons). L'œuvre est en soi une relation. C'est la relation entre le regardeur et l'objet, et tous deux sont des éléments qui entrent dans la création de l'œuvre. L'artiste ne fait donc que décrire la structure des processus qui doivent avoir lieu pour que les œuvres d'art – ces « relations » – puissent advenir. Cette activité hautement risquée requiert définitivement une stabilité émotionnelle, et c'est pourquoi les artistes sont de si bons et dévoués amants. Les artistes sont supposés courir des risques, mais on ne s'attend pas à cela de la part des scientifiques.

Mon père a fait carrière comme professeur de gymnastique et il m'a donc fortement poussé vers le monde du sport. Je me souviens lui avoir dit, à l'âge de huit ans, que je n'aimais pas la compétition et que je voulais être un artiste ! Comme un têtard, l'artiste évolue naturellement pour devenir un manipulateur, un menteur et un tricheur. C'est l'appel de la survie dans une étendue d'eau qui ne cesse de diminuer.

Artistophagy
(Eat the Artist)

Richard Purdy

I live in the boonies, on a dirt road in the countryside of central Quebec. Out here, away from the noise of the city, you really notice how starved you become for sensory input during the winter. What is winter like in rural Quebec? There are no smells, no sounds, no colour; touching is restricted as every body part is bundled up against the cold; and there is little light. It's as empty of sensory experience as being on the moon. As an inveterate city dweller, I wasn't prepared for the first clap of spring thunder to be so *shocking*, or for the pungency of manure during spring fertilization to be so *visceral*, or for the foetor of insect repellent slathered on hands and faces at the start of black fly season to be so *piercing*. All this struck me deeply when I moved to the country, and I wondered if I would stay sane living in asensory deep-freeze for half of the year, and with sensory overload for the other half. It is little wonder that an event like ORANGE emerged in regional Quebec, where artists are so attuned to the wild seasonal fluctuations of sensory experience and its effect upon all aspects of life.

Like touch and smell, tastes are often a source of social fear. "Do we eat healthily?" Dr. Béliveau [1] provocatively asks his co-hosts every Friday night on local television, and media guru Oprah Winfrey defines taste as an outright source of guilt. Japanese-American smell artist Noritoshi Hirakawa, in an interview with the art critic Jennifer Fisher, states that "just the potential of smell makes people fearful and anxious." [3] Yet, smells and tastes can also be reassuring and comforting. Most cuisines manifest a flavour interface that is holistic and emblematic; corn and chili in Mexico, like rice and soy in Japan, embody cultural identity in a profoundly emotive way. Sensory art travels through the body as an experience, a taste or a smell, liked or disliked, known or unknown. The sensory experience has a curious property: even if never before encountered, it always emerges as familiar; even if never visited, it is always known.

Our heads are abuzz with imagery and slogans. Between us and the world is inserted the entire sum of discourses that make up the construct of visuality. [3] The Web remains essentially a reading medium, where iconicity is subordinate to literacy. [4] Coming to my senses in the countryside, I am searching for a counterbalance to my own distinctively urban ocularcentric arrogance. I am seeking to renew my connection to my own body. Am I becoming uncivilised? [5] Is this why my interests have recently turned to the importance of taste and smell? Osmyls (smell molecules) and tastants (taste ions) bring back memories of home and place in a culture that is increasingly tied to, and yet tired of, simulations. No text or image can communicate the experience of flavour — sensory art must be experienced to be understood and appreciated. Because of their formlessness, odours and flavours are incomplete. Disdained yet useful, masked by our olfacto-phobic culture yet subtly influential, cryptic yet immediately experienced, abstract yet intensely powerful, tastes and smells elicit strong emotions. [6]

Left page
Richard Purdy, *Phytosculpture. Tomate*, 2008. Realised for the research of Laboratoire de recherche création en arts sensoriels SAVEUR de l'Université du Québec à Trois-Rivières
[1] BÉLIVEAU, Richard & GINGRAS, Denis. *Foods that Fight Cancer*, trans. M. Stojanac (Toronto: McClelland and Stewart, 2006).
[2] DROBNICK, Jim & FISHER, Jennifer. "An Interview with Noritoshi Hirakawa", *Parachute* 88 (1997), pp. 30-35.
[3] The International Visual Methodologies Project, based in the Faculty of Education at McGill University, is an initiative of a group of researchers, artists and educators interested in advancing the study and use of visual methodologies in social research ; see ivmproject.ca
[4] DIAMOND, C.T.P. & MULLEN, C.A. eds., *The Postmodern Educator: Arts-based Inquiries and Teacher Development* (New York: Peter Lang, 1999).
[5] I am if the definition of civilised is to live in a city.
[6] HOWES, David. *Empire of the Senses: The Sensual Culture Reader* (Oxford: Berg, 2003), p. 384.

[7] "Aren't You Glad You're You?" Burke/ Van Heusen, recorded by Doris Day on September 6, 1945.

Although the visual has established a long hegemony, the world heritage of music and spoken poetry attests to the viability of non-visual art forms. I have begun to explore why the chemical senses have failed to engender similar respect or development, and why, until recently, they have not received similar attention from artists. This research is grounded in the *intersensorium*, the place where the memory of smells and tastes activates our emotions directly, short-circuiting the verbal and surmounting the intellectual. This is the phenomenological nexus of identity, as what we eat and how we smell are choices, sometimes cultural, sometimes not. They are tags to heritage, transpersonal links between us, and loaded badges of culture, race and gender. The goal of this research is not to substitute sensation for art but to create resonant and meaningful phenomenological references to memory though the senses. I have asked myself if this approach could become an artistic dead end (like Cubism, or twelve-tone serial music), alternating within a limited range of experiences. My feeling is that it is not, because it is not conceptual; it is grounded in biological imperatives: everyone must eat and smell to survive. Once smells or tastes manifest in culture they become choices, the very signature of cultural identity and cultural diversity. We are so acculturated that we become blind to it. For example, *what has informed Canadians that it is normal to urinate into potable water?* Sense-art will always be rooted in culture and thus tied to experience and memory, whether the culture exists or is one of my inventions. The resulting works of art will place such great value on immediate experience that I wonder how we will document them. Aromatics and tastants possess an uncanny ability to establish a mood, and to build environments evoking strong emotions. As Doris Day sings it, "Every time you're near a rose, aren't you glad you've got a nose?" [7]

At their best, sensory art installations transgress sensationalism by focusing on the significance of sense experiences, their meaning in culture, their reality or unreality, and the sensual links that are built through them to memory and place. At their worst, sensory art installations are freak shows and, like so much contemporary cinema, simply a series of physical shocks. To establish a phenomenology of sensory art, the differences between the scientist's view (biochemical and neurological) and the artist's view (memory and meaning) of the chemical senses must be acknowledged and revealed.

We are a civilisation increasingly tied to, yet tired of, simulations. The average work day is spent staring at a screen, but then we go home and spend our down time staring at other screens, television screens, browser screens, telephone screens. Even a painting is a simulation, and the artist is one of the many tired magicians who excel at the *trompe l'œil* that keeps us all thoroughly protected from reality.

The world of art seems to no longer need artists. The huge, sick machine of international biennales, museum blockbusters, star curators, prestigious venues and axe-grinding critics rattles on, and can easily continue to do so, powered by its own stupendous bulk. It must be said, however, that when an artist dies, interest picks up: art historians set upon the corpse in a doctoral feeding frenzy. Go on, eat the artist – here's the flavour of the month.

Artistophagy (Eat the Artist)

The great whale of scientific reductionism lies dying on a sun-drenched beach. Its last convulsive death shudder manifests in the world as an electronic web. Is the present www.technology as bankrupt of significance as any other aspect of technological progress? Our paradigms are in bad shape, as sterilised specialisation has hardened our disciplinary activities into artefacts resembling the frozen vegetables in a freezer chest. Unlike the rotting meat on the beach, the homogeneity of fast-frozen theories of disciplinary reality can be defrosted and consumed at some future time, if we're still around to serve 'em up. Science has caught up to, and surpassed, my work. The scurrilous footnotes I create don't shock anyone anymore, as in most cases academia has devolved itself of its "sacred cows" all by itself. The boat has already been rocked, and the scientists are now swimming with the artists in the sea of loose associations and relative *everything*. Oblivious to the stench of decay, the busy little interdisciplinary research creationists buzz around the disciplinary shoals, searching desperately for points of attachment.

Science is in itself an arcane activity, cultivated *in extremis* by a handful of geeks without social lives or girlfriends. Artists however, cannot survive without girlfriends. Contacts are our food, and we spend our lives diversifying the menu and gorging when we get the chance. In the art world, the less you do the less you *can* do. This is because the work of art is not to be understood as physical object (or text or set of sounds). The work of art is in itself a relationship. It is the relationship between the viewer and the object, and both these are elements in its creation. The artist, therefore, merely describes the structure of processes that must occur so that works of art – these "relationships" – can happen. The high-risk activity positively requires emotional stability, which is why artists are such good and devoted lovers. Artists are supposed to take risks at work, while scientists are expected not to.

My dad was a career gym teacher who pushed me hard in the direction of sports. I remember telling him at the age of eight that I did not like competition and wanted to be an artist! Like a tadpole, the artist evolves naturally into a manipulator, a liar and a cheat. This is the call of survival in a shrinking body of water.

Artistophagy (Eat the Artist)

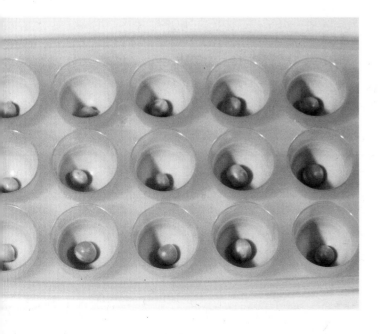

[1] Richard Purdy, *Phytosculpture.*
Tomate carrée, 2008.
[2] Richard Purdy, *Phytosculpture.*
Tomate carrée, 2008.
[3] Richard Purdy, *A wrough translation of*
Ronsard's Mignonne, 2008. Eatable book
produced in an artist residency in Val-David,
at the Scarabée engraving studio.
[4] Richard Purdy, *Chromaosmlys.*
Pea tray, 2009.

Les textes

Au-delà du goût
Sylvette Babin

L'abandon du subversif
Marcel Blouin

Texts

Beyond Taste
Sylvette Babin

Beyond Subversion
Marcel Blouin

Au delà du goût

Sylvette Babin

Le thème *Il Nostro Gusto* (« notre goût ») semble à prime abord faire appel à des questions d'ordre esthétique ou de préférence. Pourtant, si le goût est une affaire personnelle, dans le contexte de l'agroalimentaire il implique des choix qui auront de nombreuses répercussions sur nos modes de vie et notre environnement. La satisfaction de nos désirs – voire l'expression de nos excès – alimentaires ne nous conduit-elle pas à opter pour une production répondant à des critères davantage esthétiques qu'éthiques ? La quête de la perfection, la volonté de produire des aliments toujours plus attrayants, aux couleurs plus vives, de conservation plus longue – et ce, bien sûr, en quantité toujours croissante – nous a menés à des actions aux conséquences désastreuses. Face à cette nouvelle réalité, l'association de l'art et du sujet de l'agroalimentaire peut difficilement se faire sans passer par une réflexion éthique portant sur nos habitudes alimentaires, sur nos façons de cultiver le sol, d'élever les animaux ou de traiter notre planète.

Dans son ouvrage *Malaise dans l'esthétique*, le philosophe Jacques Rancière souligne que « le règne de l'éthique n'est pas celui du jugement moral porté sur les opérations de l'art ou les actions de la politique. Il signifie, à l'inverse, la constitution d'une sphère indistincte où se dissolvent la spécificité des pratiques politiques ou artistiques, mais aussi ce qui faisait le cœur même de la vieille morale : la distinction entre le fait et le droit, entre l'être et le devoir-être[1]. » On conviendra que dans une telle sphère, où l'art agroalimentaire s'insère parfaitement, il n'est pas à propos de juger de ce qui est bien ou mal, acceptable ou immoral ; il importe plutôt d'amorcer une réflexion qui permettra à la fois de poursuivre la recherche esthétique entamée au sein d'un art qui cherche à s'inscrire dans le réel, tout en observant les comportements humains de façon plus lucide. Par ailleurs, il ne saurait être question d'instrumentaliser la pratique artistique pour répondre essentiellement à des préoccupations à caractère environnemental, pas plus qu'on ne saurait évacuer les dimensions esthétiques qui régissent inévitablement le monde de l'art contemporain. On constatera alors rapidement que les jumelages art et nourriture ou art et agriculture reposent sur un substrat à la fois riche et complexe qui demande de se détacher des partis pris esthétiques, de se méfier d'une lecture moralisante des œuvres et, enfin, d'éviter de tomber dans le piège du jugement de valeur face à certains choix artistiques.

Cela dit, les questionnements éthiques qui se présentent au cours d'un événement tel que ORANGE, et plus particulièrement *Il Nostro Gusto*, ont peut-être moins à voir avec la nature des œuvres qu'avec les sujets dont elles traitent. Il n'y a pas matière à grande polémique dans l'approche esthétique ou les matériaux utilisés par les artistes de ORANGE. D'aucuns dénonceront le gaspillage de denrées alimentaires

[1] RANCIÈRE, Jacques. *Malaise dans l'esthétique*, Paris, Galilée, 2004, p. 145.

dans certaines œuvres (en l'occurrence la *Ketchup Room* de Cosimo Cavallaro), ce qui relève d'un faux débat dans la mesure où l'usage des matériaux artistiques « traditionnels », dans un contexte d'art éphémère, n'exclut pas pour autant cette problématique. De telles préoccupations sont d'ailleurs relativement futiles en regard des vrais problèmes de gaspillage que l'on retrouve dans toutes les couches de l'industrie agroalimentaire.

Les œuvres présentées lors de *Il Nostro Gusto* nous mèneront donc plutôt vers une réflexion sur les diverses facettes du domaine agroalimentaire et des modes de consommation qui lui sont associés. Il s'agit moins ici d'une utilisation de la nourriture dans l'art que d'un regard sur les processus et les actions humaines servant à fabriquer nos aliments ou les différents produits qui les accompagnent. Parmi l'ensemble des propositions, on remarque quelques constantes qui m'apparaissent, *a posteriori*, intéressantes à souligner et qui formeront les différentes parties de cet essai.

Du plastique au simulacre, des œuvres à dimension critique
L'emploi du plastique, ce matériau révolutionnaire omniprésent dans notre société hyper industrialisée, n'est peut-être nulle part ailleurs plus répandu que dans l'industrie alimentaire. Pellicules d'emballage, sacs, contenants et ustensiles accompagnent, en quantité excessive, nos emplettes, nos repas et nos collations. Il n'est donc pas surprenant de retrouver dans la sélection de *Il Nostro Gusto* plusieurs artistes qui utilisent le plastique pour réaliser des œuvres résolument synthétiques, non comestibles et dont les sujets se font même parfois quelque peu indigestes. Ainsi, Griffith Aaron Baker dénonce l'ampleur du déchet industriel avec une sculpture représentant une bouteille de Pepsi géante fabriquée à partir de bouchons de bouteilles de boisson gazeuse. Troy David Ouellette récupère pour sa part des contenants de plastique PET (polyéthylène téréphtalate) pour créer des modèles réduits de navires et d'avions militaires, tandis que Joseph Kohnke reproduit, aussi à l'échelle miniature, des pompes à pétrole mécanisées fabriquées avec des ustensiles de pique-nique jetables après usage. Outre l'utilisation commune de la matière plastique, ces projets partagent une facture ludique et nettement séduisante qui s'impose avant même qu'une réflexion sur le sens de l'œuvre puisse s'amorcer. Nous sommes fascinés par le mécanisme ingénieux et par le pouvoir d'évocation des installations cinétiques de Kohnke de même que par la démesure de la sculpture de Baker. On se délecte également des utopies de Ouellette, avec leurs minuscules drones et navires destinés à ensemencer des terres appauvries ou à régénérer la faune marine. Pourtant chacune de ces œuvres cache une réalité autrement plus effrayante qui pourrait nous échapper si nous nous limitons à en faire une lecture esthétique. Faut-il rappeler que le plastique, un matériau peu dégradable avec des émanations toxiques, s'accumule de façon exponentielle dans les eaux de la planète ? Qui plus est, si le lien entre le plastique et le pétrole dont il est issu est relativement évident, on connaît peut-être moins bien le rôle direct de la pétrochimie dans l'agriculture, notamment dans la production des fertilisants de synthèse qui ont un effet particulièrement nuisible sur l'environnement et sur la santé.

Au delà du goût

[2] Griffith Aaron Baker. *Petro Max'd*, 2009

[2] DANTO, Arthur. *La transfiguration du banal*, Paris, Seuil, 1989, p. 59-63.

[3] RANCIÈRE, Jacques. *Le spectateur émancipé*, Paris, La fabrique, 2008, p. 63.

[4] Le terme est discutable. Les actions produites par l'industrie agrochimique au nom de la productivité agricole sont plutôt des actions motivées par l'appât du gain qui, à long terme, ont surtout des effets néfastes et contre-productifs.

[5] Une des cinq multinationales qui contrôlent à elles seules 75 % de la production des semences. Voir à ce sujet le documentaire *Solutions locales pour un désordre global* (2010) de Coline Serreau.

D'autres œuvres jouent également sur cette ambiguïté entre une facture séduisante et l'évocation de réalités qui le sont nettement moins. Les vidéos de *Champ témoin* de Michel Boulanger revisitent le paysage agricole dans une animation plutôt allègre, mais dont les sujets principaux, le maïs et le porc, nous ramènent inévitablement aux problèmes de la monoculture et de l'élevage intensif, tandis que les maquettes en trompe-l'œil de Daniel Corbeil reproduisent, de manière particulièrement réaliste, les ravages de l'activité humaine et industrielle sur les régions nordiques. À nouveau, on pourrait se laisser tromper par le simulacre des miniatures et l'aspect bucolique des paysages construits, ceux-ci ne révélant pas immédiatement le côté dystopique des situations représentées. La fascination esthétique qui s'opère devant la plupart de ces œuvres risque de provoquer ce qu'Arthur Danto nomme une *distanciation esthétique*[2] qui placerait les spectateurs dans un état de détachement face au contexte sous-jacent de l'œuvre, les menant ici à passer à côté de son aspect critique. Jacques Rancière affirme pour sa part que « la contemplation extatique de la beauté [...] cacherait les fondements sociaux de la production artistique et de sa réception et contrarierait ainsi la conscience critique de la réalité et les moyens d'y agir[3] ». Pensons, à titre d'exemple, à certaines photographies d'Edward Burtynsky ou de Yann Arthus-Bertrand montrant de « superbes » prises de vues qui occultent presque entièrement les situations environnementales catastrophiques illustrées. On ne saurait donc être surpris de constater que plusieurs projets de *Il Nostro Gusto* reproduisent dans le champ de l'art une tendance que l'on rencontre fréquemment chez les citoyens et les consommateurs : celle de se laisser leurrer par les apparences.

La révolution verte

Dans le but de répondre à une demande sans cesse croissante, les techniques agricoles se sont développées et la culture de la terre est devenue une affaire d'« efficacité[4] ». La révolution verte amorcée dans les années 1960, qui est en fait le modèle industriel capitaliste appliqué à l'agriculture, en est la triste preuve. Le film *Notre pain quotidien* de Nikolaus Geyrhalter nous montre, avec ses longues séquences sans commentaire, les multiples facettes du fonctionnement de l'industrie agricole, tandis que l'installation de Ron Benner nous rappelle que ce système a mené à la disparition de la plupart des plantes indigènes (dont les semences ont même été interdites à la vente) au profit de variétés hybrides rendues stériles qui mettent en péril la biodiversité. Pourtant, dans cette installation où se côtoient notamment une douzaine de plants de tomates de différentes variétés, impossible de ne pas constater la difficulté d'acclimatation des plantes indigènes à un environnement plus ou moins adéquat (culture en pot dans une pièce fenêtrée plus ou moins aérée), alors que la *Beefmaster* (une variété hybride) s'adapte plutôt bien à ces conditions difficiles. Ironie du sort ? Nous savons pertinemment que des entreprises telles que Monsanto[5] ont créé les semences hybrides F1 et les semences génétiquement modifiées sous couvert d'un meilleur rendement et d'une plus grande résistance aux conditions difficiles. La tomate *Beefmaster* de ce projet en serait-elle la *preuve tangible* ? C'est peut-être là que le bât blesse. Cette santé apparente est probablement le plus grand leurre agricole, mais c'est un leurre qui fonctionne, un piège dans lequel les producteurs et les consommateurs sont tombés, les uns au nom de la productivité,

Au delà du goût

les autres par ignorance ou aveuglés par le désir de se procurer des produits esthétiquement parfaits. Dans cette installation de Ron Benner, le visiteur pourrait très bien se faire prendre à nouveau par les apparences trompeuses de l'œuvre, cette fois non pas à cause de son pouvoir de séduction, mais plutôt parce qu'elle reproduit, bien qu'involontairement, le mythe de la supériorité des variétés hybrides.

[6] Voir le documentaire *Food, Inc.* [v.f. *Les alimenteurs*] (2008) de Robert Kenner.

Dans une approche plus ludique, *Révolution* de Cédule 40 revisite l'outillage agricole et nous invite à prendre conscience de l'ambiguïté de nos choix et des actions qui en découlent. L'élément principal de l'œuvre, qui nécessite la participation du public pour fonctionner, est un semoir à grain que l'on peut actionner en poussant le mécanisme dans une marche circulaire. Toutefois, le semoir étant doublé d'une herse, la machine laboure simultanément la terre lorsqu'elle est actionnée, détruisant ainsi les pousses au fur et à mesure qu'elles germent. Dans sa volonté de prendre part au projet et de créer une parcelle de terrain verdoyant, le public devient le complice de la destruction de la végétation dudit terrain. Mais, s'il ne participe pas, l'œuvre est aussi en quelque sorte vouée à l'échec. Outre ce paradoxe, le double sens du titre fait réfléchir. Bien que la révolution que nous effectuons autour de l'axe de l'œuvre/machine permet de lui donner vie, elle invite également à une remise en question du cercle infernal du machinisme agricole qui, tout en ayant ouvert la voie à une révolution incontestable en matière de productivité, a pourtant causé l'endettement de nombreux cultivateurs, la perte d'innombrables emplois et la destruction de communautés rurales pour finalement aboutir au modèle de l'agriculture intensive que l'on connaît aujourd'hui.

Le rôle de la chaîne McDonald dans le développement du système alimentaire industriel est probablement moins connu que son apport à la restauration rapide. Pourtant, McDonald étant le principal acheteur de bœuf haché aux États-Unis, son fonctionnement basé sur l'uniformisation des denrées et la production à moindre coût a eu des conséquences majeures sur l'ensemble du marché de l'agroalimentaire [6]. S'intéressant de façon particulière au symbole qu'est devenue l'entreprise McDonald, Thierry Arcand-Bossé fait appel à la satire et ridiculise l'image du géant du *fast-food* en imaginant le kidnapping de sa mascotte, Ronald. Si l'iconographie de la toile *Kidnapping de symbole* ne fait pas directement référence à la malbouffe et à la production intensive qui la sous-tend, la facture de l'œuvre, le visage ensanglanté du clown et le paysage plutôt désolé à l'arrière-plan offrent néanmoins un portrait sombre de l'empire McDonald. Est-ce la caricature d'une révolte amorcée ? Une utopie où les consommateurs se soulèveraient enfin contre la *mcdonaldisation* de la société ?

Ces projets, qui soulignent plusieurs des contradictions qui règnent dans le domaine agricole, mettent peut-être finalement en cause le rôle du citoyen. Jusqu'à quel point sommes-nous complices des nombreuses situations que nous contestons ? Qu'il s'agisse de s'ajuster à la croissance démographique à l'échelle planétaire, aux habitudes alimentaires de la population des pays les plus industrialisés (régime principalement carné, excès alimentaires, gaspillage) ou aux désirs de variété et de disponibilité des produits (« de tout, en toute saison »), la production

agricole répond en partie à la demande des consommateurs. Il revient donc aussi à ces derniers de réfléchir à l'impact de leurs choix. Mais ces choix, il faut bien l'avouer, sont constamment influencés par de puissantes stratégies commerciales.

L'emprise du marketing

Que savons-nous exactement des aliments qui se retrouvent dans notre assiette ? La production et la commercialisation des denrées alimentaires passe par une série d'étapes qui nous échappent complètement. L'industrie n'a d'ailleurs aucun intérêt à révéler les dessous de son fonctionnement et continue d'avoir recours à une publicité à l'esthétique champêtre qui contribue elle-même à maintenir une perception faussée de la réalité. En habillant, dans des mises en scène photographiques, un poissonnier en pêcheur hameçonnant un filet de saumon congelé, ou un boucher en archer chassant des magrets de canard prêts à cuisiner, Simon-Pier Lemelin souligne avec humour, et un brin d'ironie, les mythes que plusieurs consommateurs entretiennent encore quant à la provenance de la nourriture qu'ils se procurent au marché. La pêche à la mouche et la chasse traditionnelle, si elles se pratiquent encore comme loisirs sportifs, n'ont certainement rien à voir avec l'industrie agroalimentaire moderne (ce que le film de Geyrhalter nous rappelait d'ailleurs très justement). Pourtant, de nombreux mangeurs de viande se raccrochent à de telles conceptions romantiques comme à l'imagerie bucolique du marketing agricole pour éviter d'affronter l'idée du vivant à la base de leur alimentation. On préférera continuer d'imaginer le porc sautillant joyeusement dans un pré, tel que le montre Boulanger, plutôt que de regarder en face le traitement infligé aux animaux élevés uniquement pour leur viande.

L'impact du marketing sur la perception du consommateur a également été souligné dans l'installation de Shelly Low, qui fait appel à différents clichés du marketing occidental utilisés dans la plupart des restaurants chinois. Dans l'œuvre *Buffet Toi & Moi*, Low met en scène des objets et des images vidéographiques directement inspirés de ces stéréotypes tout en remettant en question notre perception de l'autre. La vaisselle « chinoise » accrochée au mur, sur laquelle on peut lire l'inscription « Nous ne mangions jamais cette nourriture à la maison », nous rappelle l'écart qui existe entre la culture chinoise et sa représentation « exotique » dans le domaine de la restauration en Amérique du Nord. De fait, notre connaissance des différentes cultures passe souvent par la nourriture et la restauration (et parfois presque essentiellement par celles-ci) sans que l'on remette en doute l'exactitude des coutumes qui nous sont présentées.

Les fins commerciales des différentes entreprises alimentaires contribuent à la propagation de nombreux clichés et au maintien du consommateur dans l'ignorance. Paradoxalement, ce dernier ne s'est jamais autant investi dans une quête d'authenticité, laquelle le mène à rechercher les restaurants les plus typiques, les lieux les plus pittoresques ou des produits alimentaires plus vrais que nature. Une tendance qui, si elle ne découle pas purement et simplement des stratégies du marketing commercial, a tôt fait d'être récupérée par celui-ci grâce au développement de toute une gamme de produits aux allures d'antan qui redonneront bonne conscience aux citoyens.

Du profane au sacré

Malgré la perte de contact avec la provenance de ce que nous mangeons, la nourriture nous ramène inévitablement au corps. En l'occurrence, les réflexions d'ordre ontologique ont été abordées dans des œuvres faisant directement référence au corps, intime ou social. De telles approches, souvent plus poétiques que politiques, faisaient notamment appel au geste performatif, en direct ou en différé. Bien que cela semblait peu évident, l'œuvre *Ketchup Room* de Cosimo Cavallaro était le résultat d'une « performance » de quatre jours pendant lesquels l'artiste a projeté, dans un mouvement répétitif proche du rituel, de grandes giclées de ketchup sur les murs et les meubles d'un 3 ½. On ne décelait aucune violence dans cette action; il s'agissait d'un mouvement lent et méditatif qui inspirait la sérénité. C'est pourtant le résultat oppressant, voire « sanglant », que de nombreux visiteurs ont retenu de cette œuvre où plus rien ne subsistait de l'état de grâce observé chez l'artiste en processus de création. D'autres auront néanmoins pris le temps de marcher dans l'appartement, de se laisser envahir par l'odeur âcre du vinaigre, d'observer la trace régulière de la giclure, le recouvrement minutieux de chacun des meubles et, enfin, de ressentir la solitude d'un lieu abandonné par son occupant, qui aurait pris soin, en partant, de ranger sa paire de chaussures au pied du lit. Le clivage entre la production et la réception de l'art est notable dans cette installation où l'on perd presque totalement de vue la dimension ludique soulignée par l'artiste, qui faisait notamment référence à l'enfance et au plaisir de jouer avec sa nourriture.

Proposant un tableau vivant intitulé *Au commencement était le verbe*, BBB Johannes Deimling, le corps entièrement recouvert de pâtes alphabet, était assis sur une quinzaine de bibles et tenait à la main un exemplaire ouvert sur un passage de l'Évangile selon Jean. Dans cette performance dépourvue de progression narrative, une image s'imprégnait, presque identique du début à la fin à l'exception du fait que les pâtes, en séchant, se décollaient doucement du corps de l'artiste pour lui redonner peu à peu sa nudité. Hautement symbolique, la performance évoque une alliance entre le corps et l'esprit par l'intermédiaire d'un seul et même aliment. Les milliers de lettres agglutinées pêle-mêle sur la peau de l'artiste semblaient toutefois s'opposer à la rigoureuse structure des textes sacrés dans lesquels, rappelons-le, le jugement moral prend souvent sa source. Une ambivalence se développait également face à cette performance présentée dans un corridor étroit qui imposait la proximité du spectateur et suscitait à la fois un état de communion et de malaise. On pouvait aussi percevoir une métaphore de la communion avec l'autre dans la vidéo/performance projetée dans l'installation de Shelly Low, où l'on observait une main (celle de l'artiste) offrant un sachet de nouilles chinoises à différents individus abordés dans la rue ou rencontrés à leur domicile. Dans une autre séquence, le même sachet de *ramen* était passé de main en main. Ces gestes banals, où se croisent la rencontre et le don, donnent un tout autre sens à ce *fast-food* chinois, lui conférant une valeur symbolique plus grande que sa faible valeur marchande.

On remarque dans ces actions que la nourriture est encore intimement liée à différentes formes de rituels. C'est aussi le rituel païen (la fête) qui était initialement évoqué dans l'installation *The Margaritaville Town Fountain* de Dean Baldwin qui, lors de l'ouverture de l'événement, a accueilli le public de façon conviviale en servant des Margaritas autour d'une construction inspirée des distilleries clandestines et faite en partie de matériaux de fortune. La soirée terminée, il ne subsistait plus que les restes de cette fête, une fontaine où la Margarita avait été remplacée par de l'eau, des comptoirs recouverts de restes de nourritures et d'écales de noix. Une fois leur valeur d'usage retirée aux divers éléments de cette construction, on se retrouvait face à une « nature morte vivante » – rappelant les natures mortes hollandaises – ayant retrouvé la dimension « sacrée » propre à l'œuvre d'art. La référence au profane et au sacré, par des allers-retours constants entre l'un et l'autre, s'impose d'ailleurs dans l'ensemble de ces œuvres. Sacralisation du matériau banal (le ketchup, les pâtes et les nouilles) dans un espace qui appelle le silence et la méditation chez Cavallaro et Deimling ou dans un geste provoquant la rencontre chez Low ; profanation du livre et des textes sacrés pour leur donner une valeur d'usage (le siège) chez Deimling ; sacralisation (ou muséification) des restes dans l'œuvre de Baldwin.

La portée de nos gestes

La tenue d'une triennale sur l'art agroalimentaire pose évidemment la question de la récurrence de ces pratiques sur la scène artistique. L'intérêt pour le matériau vivant a connu son apogée au cours des dernières décennies avec les tentatives de lier l'art et la vie quotidienne et de prioriser l'expérience artistique. Or, depuis quelques années, l'art a repris sa place dans les musées et les institutions, et l'objet d'art a retrouvé ses lettres de noblesse ainsi que sa valeur marchande. Néanmoins, une constante demeure. Que ce soit à travers une pratique de l'art éphémère par l'usage du matériau périssable ou au sein d'une approche esthétique basée sur l'œuvre-objet, l'art est toujours aussi investi des préoccupations quotidiennes des artistes, préoccupations qui semblent de plus en plus tournées vers l'environnement, l'exploitation des ressources naturelles, la surconsommation, la malbouffe, bref, vers tout ce qui concerne l'avenir de la planète et de l'être humain. La question que l'on pourrait alors se poser est de savoir quel est l'impact réel de ces œuvres. Jacques Rancière affirme que « l'art critique, dans sa formule la plus générale, se propose de donner conscience des mécanismes de la domination pour changer le spectateur en acteur conscient de la transformation du monde[7]. » Il ajoute toutefois que « la compréhension peut, par elle-même, peu de chose pour la transformation des consciences et des situations[8]. » De ce fait, on comprendra que si les œuvres proposées lors de *Il Nostro Gusto* ont le pouvoir d'éveiller les consciences, elles n'ont pas pour autant la faculté de changer quoi que ce soit. Les vrais changements surviennent avec l'action, individuelle et collective, c'est-à-dire par les choix de société que nous faisons et par les gestes concrets que nous posons.

Malgré l'importance, évoquée d'entrée de jeu, d'éviter d'instrumentaliser les œuvres au profit de préoccupations environnementales, après de nombreuses recherches sur les dessous des pratiques de l'industrie agroalimentaire, la tentation était forte d'en faire une lecture écologiste. Toutefois, l'*ouverture* de ces œuvres – qui, soit dit en passant, ne s'affichaient pas comme des œuvres politiques ou militantes – ainsi que les multiples possibilités d'analyse qu'elles offraient permettaient certainement au spectateur de faire sa propre lecture, et peut-être aussi de s'intéresser d'un peu plus près aux conséquences de notre passage sur terre.

[7] RANCIÈRE, Jacques. *Malaise dans l'esthétique*, op. cit., p. 65.
[8] *Ibid.*

Au delà du goût

[3] Dean Baldwin
The Margaritaville Town Fountain, 2009

<u>Beyond Taste</u>

Sylvette Babin

At first glance, the theme *Il Nostro Gusto* ("our taste") would seem to imply questions of aesthetics or preference. Taste is indeed a personal matter, but in the agri-food context it entails choices that have multiple impacts on our lifestyles and our environment. In satisfying our food desires – not to say excesses – do we not tend to choose products more for aesthetic than for ethical reasons? The quest for perfection, the determination to produce ever more appealing edibles with brighter colours and longer shelf lives – and in ever growing quantities, of course – has led us to actions with disastrous consequences. Given this new reality, it is difficult to associate art and agribusiness without reflecting on the ethical implications of the ways we eat, cultivate the soil, raise animals and treat our planet.

In his book *Aesthetics and Its Discontents*, the philosopher Jacques Rancière points out that "the reign of ethics is not the reign of moral judgements over the operation of art or of political action. On the contrary, it signifies the constitution of an indistinct sphere in which not only is the specificity of political and artistic practice dissolved, but so also is that which formed the very core of 'old morality': the distinction between fact and law, between what is and what ought to be."[1] In such a sphere, where agri-food art is right at home, there is no room for judgment of what is good or bad, acceptable or immoral; rather, what matters is to initiate a reflection which furthers aesthetic exploration begun within art that seeks to be part of reality, while at the same time casting a more lucid eye on human behaviour. Moreover, there can be no question of instrumentalising artistic practice for the primary purpose of addressing environmental concerns, any more than of eliminating the aesthetic dimensions that inevitably govern the contemporary art world. From there, it quickly becomes apparent that pairings of art and food or art and agriculture have a rich and complex underpinning that urges us to cast off aesthetic bias, to be wary of reading the works with a moralising eye and, lastly, to avoid falling into the trap of passing value judgments on particular artistic choices.

That being said, the ethical questions posed by an event like ORANGE, and by *Il Nostro Gusto* in particular, may have less to do with the nature of the works than with the subjects they address. There is nothing very polemical about either the aesthetic approaches or the materials of the ORANGE artists. The occasional protest over wasting food in certain works (in this case, Cosimo Cavallaro's ketchup room) is actually a false debate, in that, in the context of ephemeral art, the use of "traditional" materials does not preclude the issue. In any case, such concerns are relatively futile considering the real problems of waste found at every level of the agri-food industry.

[1] RANCIÈRE, Jacques. *Aesthetics and Its Discontents*, trans. Steven Corcoran (London: Polity, 2009), p. 109. Originally published in French as *Malaise dans l'esthétique*.

[6] Cosimo Cavallaro. *I Was Here*, 2009

Beyond Taste

For all these reasons, the works presented at *Il Nostro Gusto* have prompted me to reflect on the diverse facets of the agri-food sector and the consumption patterns associated with it. My focus here is less on the use of food in art than on the processes and human actions that go into producing our foods and the products that accompany them. Considering the works in hindsight, I have identified a few noteworthy constants, which are discussed in the following sections.

From Plastic to Illusion: Works with a Critical Dimension

Nowhere, perhaps, is the use of plastic – that revolutionary material omnipresent in our hyper-industrialised society – more widespread than in the food industry. Excessive quantities of food wrap, bags, containers and utensils go hand in hand with our purchases, our meals and our snacks. Thus, it is no surprise to find in the *Il Nostro Gusto* line-up several artists who use plastic in making resolutely synthetic, inedible works (some dealing with rather indigestible subjects). For instance, Griffith Aaron Baker denounces the magnitude of industrial waste with a sculpture representing a giant Pepsi bottle fashioned from soda bottle caps. Troy David Ouellette salvages PET (polyethylene terephthalate) plastic containers to create small-scale models of military ships and planes, while Joseph Kohnke fashions miniature mechanised oil wells from disposable picnic utensils. Besides the use of plastic, these projects share a seductive playfulness that engages viewers even before they can begin to wonder what the works mean. We are fascinated by the ingenious mechanisms and evocative power of Kohnke's kinetic installations, and by the disproportion of Baker's sculpture. And we relish Ouellette's utopias, with their minuscule drones and ships designed to re-sow depleted land or regenerate marine life. Yet each of these works hides a far more frightening reality that can escape notice if we view them only through an aesthetic lens. Need I point out that plastic, a poorly degradable, toxin-leaching material, is accumulating in the planet's waters at an exponential rate? What's more, while the link between plastic and the petroleum it is made from is fairly obvious, the public may be less aware of the direct role of petrochemicals in agriculture, notably in the production of synthetic fertilizers, which have an especially harmful effect on the environment and health.

Other works similarly play on the ambiguity between an engaging execution and the evocation of far less appealing realities. The videos in Michel Boulanger's *Champ témoin* revisit the agricultural landscape in rather cheerful animation, but the main subjects, corn and hogs, inescapably confront us with the problems of monocropping and intensive livestock production. Daniel Corbeil's trompe l'œil maquettes reproduce the ravages of human and industrial activity in northern regions with striking realism. Here, too, the viewer could be taken in by the staged miniatures and the bucolic aspect of the constructed landscapes, which do not immediately reveal the dystopian side of the depicted situations. The aesthetic fascination induced by most of these works is apt to cause what Arthur Danto terms *aesthetic distance*,[2] which lulls viewers into a state of detachment from the underlying context of the work and leads them to overlook its critical aspect. Jacques Rancière, for his part, speaks of "the ecstatic contemplation of the beautiful [that works] mischievously to conceal the social underpinnings of art and dispense with concrete action in the 'outside' world."[3] Consider, for instance, certain photographs by Edward

[2] DANTO, Arthur. *The Transfiguration of the Commonplace* (Cambridge, MA: Harvard University Press, 1981), pp. 21-23.
[3] RANCIÈRE, Jacques. "The Paradoxes of Political Art," in *Dissensus: On Politics and Aesthetics*, trans. Steven Corcoran (London: Continuum, 2010), p. 137. Originally published as "Les paradoxes de l'art politique," in *Le spectateur émancipé*.

[4] The term is questionable. The actions caused by the agrochemical industry in the name of agricultural productivity are actually profit-driven actions which, in the long term, have mostly harmful and counterproductive effects.

[5] One of the five multinational corporations that together control 75% of all seed production. See on this subject the documentary *Think Global, Act Rural* (2010), by Coline Serreau. Original French version: *Solutions locales pour un désordre global.*

Burtynsky or Yann Arthus-Bertrand, "superb" views that all but obscure the catastrophic environmental situations they illustrate. It is not surprising, therefore, to see that a number of projects shown at Il Nostro Gusto reproduce in art a tendency frequently observed among citizens and consumers – the tendency to let themselves be fooled by appearances.

The Green Revolution

To meet an ever growing demand, new farming techniques have been developed and cultivating the land has become a matter of "efficiency." [4] The green revolution begun in the sixties – which is actually the capitalist-industrial model applied to agriculture – is sad proof of this. The long, wordless scenes of Nikolaus Geyrhalter's film *Our Daily Bread* capture the multifaceted workings of the agricultural industry, while Ron Benner's installation reminds us that this system had led to the disappearance of most indigenous plants (even the seeds cannot be bought) in favour of sterile hybrid varieties that endanger biodiversity. And yet, in this installation featuring a dozen or so tomato plants of different varieties, it was all too obvious that the indigenous plants were struggling in an unsuitable environment (growing in pots in a poorly ventilated, windowed room), whereas the hybrid Beefmaster had adapted rather well to the difficult conditions. The irony of fate? We know full well that companies such as Monsanto [5] have created F1 hybrid seeds and genetically modified seeds under the guise of better performance and greater resistance to difficult conditions. Is the Beefmaster in this project *tangible proof* of success? Therein lies the problem, for the plant's apparent vigour is probably the greatest agricultural illusion of all. But it is an illusion that works, a trap into which producers and consumers have fallen, the former in the name of productivity, the latter out of ignorance or blinded by a craving for an aesthetically perfect product. Visitors to Benner's installation may once again have been fooled by deceptive appearances, although this time not because the work exerts a seductive power but because it reproduces, albeit involuntarily, the myth of hybrid variety superiority.

In a more playful approach, *Révolution*, by Cédule 40, revisits farming implements and asks that we be aware of the ambiguity of our choices and their ensuing effects. The main element of the piece, which requires visitor participation, is a seed drill that is activated by pushing the machine as you walk in a circle around it. However, because the drill is coupled with a harrow, the contraption simultaneously tills and sows, destroying the growth as it sprouts. In their desire to take part in the project and create a lush plot of land, the visitors become complicit in ravaging the vegetation. But if they do not participate, the work, in a way, is doomed to failure all the same. Along with this paradox, the double meaning of the title gives food for thought. Although the circle trudged around the axis brings the artwork/machine to life, it also invites us to question the vicious cycle of agricultural mechanisation which, while undeniably paving the way for a revolution in terms of productivity, has nevertheless caused crushing debt for many farmers, the loss of countless jobs and the destruction of rural communities, only to arrive at the intensive farming model we know today.

The role of the McDonald's chain in the development of the industrial food system is probably less well known than its contribution to fast food. And yet, since McDonald's is the largest buyer of ground beef in the United

Beyond Taste

[14] Troy David Ouellette. *Diversions*, 2009

States, its method of operation, based on standardised fare and cheap production costs, has had a major impact across the entire agri-food industry. [6] Focusing on the symbol McDonald's has become, Thierry Arcand-Bossé turns to satire to deride the fast food giant's image with the imagined kidnapping of its mascot, Ronald. While the iconography of the painting *Kidnapping de symbole* does not make direct reference to junk food and the intensive production that sustains it, the stylistic execution, the clown's bloody face and the rather desolate landscape in the background paint a dark picture of the McDonald's empire. Is this a caricature of a revolt in the making? A utopia where consumers would finally rise up against the McDonaldisation of society?

Ultimately, even as they point up contradictions that reign in agriculture, these projects may be challenging the citizen's role. To what extent are we complicit in the many situations we contest? Whether adapting to global demographic growth, to the eating habits of the populations of the most industrialised countries (mainly meat-based diet, binge eating, waste) or to our desire for product variety and availability ("everything in every season"), agricultural production responds in part to consumer demand. Therefore, consumers, too, must consider the impact of their choices. But, to be fair, these choices are constantly influenced by powerful commercial strategies.

[6] See the documentary *Food, Inc.* (2008), by Robert Kenner.

Beyond Taste

The Grip of Marketing

What exactly do we know about the foods that end up in our plates? Most of us are completely ignorant about the series of steps involved in producing and marketing foodstuffs. Indeed, the industry has every reason not to reveal the hidden side of its workings and continues to use advertising with a pastoral aesthetic that helps to maintain a distorted perception of reality. With staged photographic tableaus of a fish vendor dressed as a fisherman hooking a frozen salmon filet or a butcher got up as an archer hunting pan-ready duck breasts, Simon-Pier Lemelin highlights with humour, and a touch of irony, the myths that persist among consumers about the source of the food they buy at the market. Fly fishing and traditional hunting may still be practised as recreational sports, but they certainly have nothing to do with the modern agri-food industry (as Geyrhalter's film rightly reminds us). Nevertheless, many meat eaters cling to such romanticised notions and the bucolic imagery of agricultural marketing in order to avoid confronting the idea of the living creatures at the basis of their diet. We prefer to continue imagining a pig happily hopping about in a meadow, as depicted by Boulanger, rather than facing the treatment inflicted on animals raised solely for their meat.

The impact of marketing on consumer perception was also obvious in Shelly Low's installation, which involves a variety of marketing clichés used in most Western Chinese restaurants. In *Buffet Toi & Moi*, Low stages objects and video images directly inspired by these stereotypes to question our perception of the Other. On the wall, "Chinese" plates with the inscription "We never ate this food at home" remind us of the gap that exists between Chinese culture and its "exotic" representation in North American eateries. In fact, we often (and in some cases almost exclusively) glean our knowledge of different cultures through food and restaurants, never doubting the accuracy of the customs exhibited there.

The commercial aims of food businesses contribute to propagating a whole host of clichés and keeping consumers in the dark. Paradoxically, consumers have never been so invested in a quest for authenticity, which leads them to seek out the most typical restaurants, the most picturesque places or more-natural-than-nature food products. While perhaps not the pure and simple result of commercial marketing strategies, this trend has quickly been appropriated by marketers in developing a vast range of products with an old-fashioned look that soothes the public's conscience.

From the Profane to the Sacred

Despite the loss of contact with our food sources, the things we eat inevitably lead us back to the body. In this instance, ontological considerations were addressed in works that make direct reference to the body, either personal or social. Such approaches, often more poetic than political, involved, among other things, live or recorded performative gestures. Though unlikely on the face of it, Cosimo Cavallaro's *I Was Here* consisted of a four-day "performance" in which the artist ritualistically, repeatedly flung big splatters of ketchup onto the walls and furniture of a three-and-a-half-room apartment. There was nothing violent about this action; it was a slow, meditative movement that inspired serenity. And yet many visitors came away with an oppressing, even "bloody" impression of this work, in which no trace remained of the artist's state of grace visible in

Left page
[8] Daniel Corbeil. *Étuveuse climatique*, 2004-2009

the creative process. Others, however, took the time to walk around the apartment, to let themselves by assailed by the acrid smell of vinegar, to observe the orderly lines of the splatters, the painstaking covering of each piece of furniture and, finally, to feel the solitude of a place abandoned by its occupant, who had seemingly taken care to place his shoes at the foot of the bed before leaving. The divide between the production and the reception of art was notable in this installation, where the playful dimension intended by the artist, with references including childhood and the pleasure of playing with one's food, was almost entirely lost to sight.

In a tableau vivant titled *Au commencement était le verbe (Speechless [version #2])*, BBB Johannes Deimling, his body completely covered in alphabet noodles, sat on a stack of about fifteen Bibles, holding one open to a passage in the Gospel of St. John. In the course of this performance devoid of narrative progression an image took hold, almost unchanged from beginning to end, except for the fact that the noodles, as they dried, gently peeled away from the artist's body, little by little restoring his nudity. The highly symbolic performance evoked an alliance between body and mind by means of a single food. But the thousands of letters stuck together pell-mell on the artist's skin seemed to conflict with the rigorous structure of the sacred text which, let us not forget, is often the source of moral judgment. And there was a growing a sense of ambivalence about this performance presented in a narrow corridor that forced the viewer into proximity and caused a simultaneous state of communion and disquiet. A metaphor for communing with others could also be seen in the performance video projected in Shelly Low's installation, which featured a hand (the artist's) offering a packet of Chinese noodles to people approached in the street or met in their homes. In another scene, the same packet of ramen was passed from hand to hand. The commonplace gestures, in which encounter and giving intersect, impart a whole new meaning to this Chinese fast food, instilling it with a symbolic value greater than its paltry market worth.

In was evident in these actions that food is still intimately linked to various forms of ritual. The installation *The Margaritaville Town Fountain*, by Dean Baldwin, at first called to mind a pagan ritual (party), as the artist warmly welcomed opening-night visitors with margaritas served around a construction inspired by illicit stills and made in part from salvaged materials. At the end of the evening, all that was left were remnants of the party: a fountain in which water had replaced margaritas, counters littered with scraps of food and nut shells. Once divested of their utilitarian value, the various elements of the construction composed a "living still life" – reminiscent of Dutch still lifes – that had regained the "sacred" dimension inherent to works of art. In fact, reference to the profane and the sacred arises in constant back-and-forths in all of these works: sacralisation of commonplace material (ketchup, pasta and noodles) in a space that inspires silence and meditation, with Cavallaro and Deimling, or in a gesture causing encounters, with Low; profanation of the Bible and sacred texts to give them practical value (as seat), with Deimling; sacralisation (or museumisation) of leftovers in Baldwin's piece.

Beyond Taste

The Impact of Our Acts

A triennial event on agri-food art clearly raises the question of the recurrence of these practices on the present-day art scene. The interest in living materials reached its peak in recent decades with attempts to link art and everyday life, and to prioritise the artistic experience. But in the past few years art has retaken its place in museums and institutions, and the art object has regained its prestige and market value. Nevertheless, a constant remains: whether in ephemeral practices using perishable material or in aesthetic approaches based on the artwork/object, the art is invested with the artists' everyday concerns, concerns that seem to focus more and more on the environment, the exploitation of natural resources, overconsumption, junk food – in short, on everything to do with the planet and humankind. This could lead us to wonder what impact these works actually have. Jacques Rancière states that, "in its most general expression, critical art is a type of art that sets out to build awareness of the mechanisms of domination to turn the spectator into a conscious agent of world transformation."[7] However, he adds that "understanding does not, in and of itself, help to transform intellectual attitudes and situations."[8] Hence, for all their power to raise awareness, the works presented at *Il Nostro Gusto* have no ability to effect change. Real change comes with action, both individual and collective; in other words, through the societal choices we make and the concrete actions we take.

As important as it is to avoid instrumentalising art to advance environmental concerns, as mentioned at the outset, after extensively researching the underbelly of agri-food industry practices I was sorely tempted to give these pieces an ecological reading. However, the *openness* of the works – which, incidentally, made no show of being political or militant – and the multiple possibilities for analysis that they offer certainly allowed viewers to read them as they pleased, and perhaps to take a somewhat closer interest in the consequences of our life on earth.

[7] RANCIÈRE, Jacques. *Aesthetics and Its Discontents*, p. 45.
[8] *Ibid.*

Beyond Taste

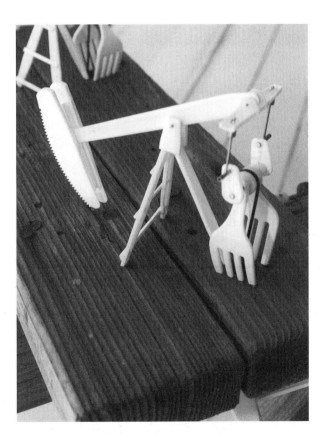

[11] Joseph Kohnke
Smart and Final, 2008 and *After the Fact*, 2009

L'abandon
du subversif

Mon goût, ton goût, son goût,
notre goût, votre goût, leur goût.
« C'est à notre goût ! »

Marcel Blouin

La notion de goût peut être employée pour parler autant de nourriture que d'art, voire de mœurs. En 2009, ORANGE s'était donné pour défi d'aborder l'agroalimentaire, un sujet qu'il explore depuis 2003, à l'aide de deux sciences intimement liées à la notion de goût : la science du beau dans l'art, l'esthétique, et la science de la morale, l'éthique. Projet ambitieux s'il en est, qui s'accompagnait de nombreuses questions. D'abord, qu'en est-il des normes du goût ? Comment définir le bon goût en ce qui a trait aux œuvres d'art ? Cette question est-elle même encore pertinente devant des propositions artistiques qui, en marge d'une quête du beau – en marge, au-delà, en deçà –, font appel à l'intelligence, à la logique et à la réflexion, dans l'esprit de ce que nous avons pris l'habitude de nommer l'*art conceptuel* ? Comment déterminer ce qui est éthiquement acceptable en ce qui a trait à la nourriture, à la manière de cultiver et de transformer les aliments ? Le goût, question fort ancienne, est-il subjectif ou universel ? Même chose pour les mœurs : doit-on valoriser le singulier, le régional, le propre à une culture, ou *le pareil au même* à la grandeur de la planète ? Existe-t-il des valeurs universelles au nom desquelles il devient justifié de faire la guerre ? Jusqu'où peut aller la tolérance face à la différence ? Et, enfin, quand il est question d'esthétique et d'éthique, sommes-nous capables de faire la distinction entre l'*observation* et la *proposition*, en d'autres termes, entre *ceci est, il me semble, considérant que*, et *voilà ce que nous devrions faire, montrer, valoriser, puisque* ? Ceci *est*, cela *devrait*. L'incertitude a supplanté la certitude autant en esthétique qu'en éthique, long processus entamé avec la descente sur terre des grandes préoccupations philosophiques de l'humain, sens critique oblige. Beaucoup de chemin a été parcouru dans ce sens à la Renaissance, au siècle des Lumières et au 20e siècle, trois périodes où l'on reconnaît, entre autres, cette volonté croissante de prise en charge *par* et *pour* les mortels que nous sommes. Et maintenant, en ce début de 21e siècle, il semble bien que nous ressentions le besoin – l'obligation ? – de franchir une nouvelle étape dans ce processus de prise en charge. Devant la surchauffe, devant les abus et la violence faite à la nature, on ressent aujourd'hui le besoin d'établir un nouveau consensus global qui embrasserait non seulement l'éthique, le social, le politique et le juridique, mais aussi – l'hypothèse reste à vérifier – la manière de faire les choses au quotidien, le poétique, l'art, l'esthétique.

En ce qui concerne l'édition 2009 de ORANGE, nous retiendrons ici trois questions. D'abord, en quoi l'éthique en ce début de 21e siècle modifie-t-elle le parcours de l'art et, sous-question, en quoi cela modifierait-il notre façon d'aborder l'art ? Bref, qu'en est-il de l'esthétique ? Ensuite, jusqu'à quel point l'éthique préoccupe-t-elle les artistes aujourd'hui ? Enfin, en quoi les œuvres présentées lors de ORANGE 2009 ont-elles rapport avec l'éthique ? Nous n'avons pas la prétention de répondre complètement à ces questions ici, le mandat est trop vaste. D'autres, plus audacieux et, souhaitons-le, faisant preuve d'érudition, sauront compléter le tableau par une quatrième question : qu'est-ce que l'art ? Question que nous laisserons de côté pour notre part... ou presque.

En quoi l'éthique en ce début de 21ᵉ siècle modifie-t-elle le parcours de l'art et, sous-question, en quoi cela modifierait-il notre façon d'aborder l'art ? Bref, qu'en est-il de l'esthétique ? En répondant à cette première question – *en quoi l'éthique modifie-t-elle le parcours de l'art ?* –, on répond du même coup à cette autre question : *Comment se fait-il que tant d'artistes s'intéressent à la nourriture, à l'agriculture, à l'écologie ?* En fait, ces deux questions se nourrissent l'une l'autre, s'amalgament pour aboutir à une seule réponse, un seul constat : nous craignons pour notre survie. Pris d'un sentiment d'urgence, nous constatons que les ressources nécessaires à la vie sont atteintes, l'eau, l'air, les aliments, et que, pour remédier à cette situation, il faut revoir les fondements de nos valeurs, de nos croyances, de nos lois, c'est-à-dire notre morale. De toute évidence, les fondements avec lesquels nous avons évolué doivent être repensés si nous voulons éviter la catastrophe. De là l'importance de promouvoir le bien-être individuel, certes, mais aussi, de préserver le bien commun. Du moins, c'est ce que l'on croit comprendre à la lecture des œuvres réunies à l'occasion de ORANGE 2009.

Dans un contexte de destruction des ressources nécessaires à la vie, nos activités les plus élémentaires deviennent l'objet d'un questionnement éthique. La population est préoccupée, y compris ses plus vifs éclaireurs, dont font partie les artistes. Du coup, certains thèmes, matériaux, manières de faire, de voir et, en l'occurrence, de se nourrir émergent des œuvres et de la démarche des artistes préoccupés par la valorisation du mieux-être. Depuis les débuts de l'événement ORANGE, en 2003, nous avons constaté que la nourriture, représentée ou réelle, appelle des réactions d'ordre viscéral. L'installatif, l'éphémère, le périssable sont au rendez-vous, sans oublier les notions de cycle, de répétition et de révolution. L'objet de ces préoccupations n'est pas seulement une abstraction et un concept, ce sont aussi des activités et des matériaux on ne peut plus concrets. Aussi les œuvres font-elles généralement référence à l'éthique, d'une manière ou d'une autre, par des rapports directs et indirects.

L'art peut-il et doit-il être conservé dans les musées ? *Ni plus ni moins que la nourriture*, nous répondent plusieurs des artistes participant à ORANGE. Le public a généralement peu de contacts avec l'artiste et est plutôt interpellé par l'œuvre qui prend forme dans l'espace et dans le temps. Or, dans le cadre de ORANGE, même si des objets figés sont parfois exposés, le plus souvent ce sont des objets en voie de transformation que nous sommes invités à observer ou encore une communion, une action, une ingestion à laquelle nous sommes conviés à participer. Ces activités ponctuelles nous rappellent des gestes répétés à l'infini, qui consistent à cultiver la terre, à élever des animaux, à porter de la nourriture à sa bouche. Et ces gestes répétés à l'infini ont un lien avec ce qu'il y a de plus fondamental, nous rappelle-t-on avec insistance. Les préoccupations éthiques de notre époque semblent donc bel et bien modifier notre façon d'aborder l'art. Mais jusqu'à quel point ?

L'abandon du subversif

[7] Cédule 40. *Révolution*, 2009.

Jusqu'à quel point l'éthique préoccupe-t-elle les artistes aujourd'hui ? L'art contemporain peut-il encore être qualifié de subversif ? Devant l'ordre établi, ou ce qu'il perçoit ainsi, l'artiste, en marge de cet ordre et en réaction contre lui, a plus souvent qu'autrement joué un rôle décapant d'éveilleur surdoué et avant-gardiste ou d'ébranleur des certitudes – parfois en anarchiste égoïste, il est vrai, toutes les variantes étant possibles. Un mot semble caractériser une bonne part de l'art contemporain, soit l'art depuis les années 1960, voire depuis Duchamp : la subversion. Comme si nous tous, du milieu de l'art contemporain, nous nous étions ligués contre la culture dominante ayant pour base – nous simplifions ici – l'idéologie dominante des pays occidentaux : consommation de masse, médias au service du capitalisme, etc.

Mais devant le chaos, devant la possibilité d'une fin du monde abrupte, bien réelle et confirmée par la raison et les sciences (qui sont en partie elles-mêmes responsables de la situation), l'artiste peut-il continuer sur la voie de la subversion, du sabotage d'un système qui le cantonne dans un rôle de commentateur n'ayant que peu d'impact réel sur le quotidien des gens ? Dans le contexte actuel, craignant pour la survie de la planète et celle de l'humain en particulier, l'artiste changerait alors de leitmotiv. Après s'être contenté d'un rôle d'observateur – éclairé, brillant, subversif –, il devient un guide, le promoteur d'un autre monde, d'une autre manière de vivre, d'une nouvelle éthique. Pour l'essentiel, ce guide – ce gourou ? – est attaché à la vie, au mieux-être. D'un rôle d'observateur des sociétés opulentes – l'art contemporain est une affaire de pays riches, ne l'oublions pas – l'artiste deviendrait en quelque sorte l'éveilleur de la dernière chance.

L'étude de l'art des périodes pré- et post-révolutionnaire en France ne pourrait se faire sans prendre en compte le contexte historique qui en a constitué la toile de fond. Les œuvres de cette époque, celles d'un Eugène Delacroix ou d'un Jacques-Louis David, ne pourraient être appréciées à leur juste valeur sans que soit prise en considération cette volonté profonde d'alors d'établir les bases de la démocratie qui a coïncidé avec la création des républiques et la fin des régimes monarchiques. Suivant le même principe, pour faire et pour étudier l'art d'aujourd'hui, on ne saurait ignorer le contexte historique qui l'a vu émerger, une société capitalo-industrielle à bout de souffle. Or le contexte actuel nous indique, à en croire un nombre incalculable de commentateurs, que nous sommes sur le point de poser un ultime geste si nous ne remédions pas à la situation, un suicide collectif planétaire. Le Grand Œuvre s'il en est.

De toute évidence, pour répondre à la question qui nous intéresse ici, il faut nous rappeler que l'éthique occupe une grande place en ce début de 21e siècle. Et cette présence de l'éthique, voire cette omniprésence, s'impose à nous telle une exigence qui sauvera peut-être l'humanité de sa propre destruction. Ultime utopie ? Dans ce contexte, quelle que soit la voie que l'artiste emprunte, il risque fort de voir ses réalisations étudiées en fonction de cette toile de fond, ne serait-ce que pour dire, *a posteriori*, qu'il aura travaillé en marge de cette tendance dominante.

En quoi les œuvres présentées lors de ORANGE 2009 ont-elles rapport avec l'éthique ? Nous croyons qu'il existe plusieurs types de rapports entre les œuvres et la notion d'éthique. Nous suggérons d'y voir des rapports directs et indirects. Il y a rapport direct quand l'œuvre traite d'une problématique généralement abordée dans les médias : gaspillage, pollution, industrialisation abusive des modes de production, faim dans le monde, extinction des espèces, destruction de l'environnement naturel, réchauffement de la planète, etc. Les œuvres de Nikolaus Geyrhalter, de Daniel Corbeil, de Simon-Pier Lemelin et de Ron Benner vont dans ce sens. Étant donné qu'elle dénonce la méconnaissance, l'ignorance et, par extension, l'ethnocentrisme, l'œuvre de Shelly Low peut aussi être incluse dans cette catégorie. Le mal nous envahit, nous devons le combattre. De quelle manière ? Cela varie énormément. Si l'oppression identifiée est unilatérale, les façons de réagir font appel à l'imagination. Un monde à inventer. À ré-inventer.

Les œuvres ayant un lien indirect avec l'éthique se laissent quant à elles apprivoiser plus lentement. Pensons aux réalisations de Thierry Arcand-Bossé, de Griffith Aaron Baker, de Dean Baldwin et de Cosimo Cavallaro. Dans un premier temps, on se demande : quel est le rapport ? Paradoxalement, ces *œuvres indirectes* interrogent directement la notion d'éthique, sans détour, sans faire appel à une cause, à une lutte. Le questionnement auquel nous renvoient ces œuvres ressemble à ceci : *Qu'est-ce qui est éthiquement acceptable, en général ?* Par exemple, Arcand-Bossé nous fait remarquer que, s'il a déjà été envisageable, pour des groupes extrémistes, d'avoir recours à l'enlèvement pour faire progresser une cause comme la défense d'un peuple, d'une nation, d'une langue, etc., aujourd'hui c'est plutôt Ronald McDonald le symbole à faire basculer dans le coffre d'une voiture. Qui, dans les années 1960-1970, au Québec, aurait pu imaginer que nos habitudes alimentaires deviendraient une cause plus importante que la défense de la langue d'un peuple, au point d'envisager un kidnapping ? Tous, sans exception, nous mangeons pour vivre. Et ce que nous mangeons est devenu inquiétant. Arcand-Bossé nous fait donc remarquer que non seulement les mœurs changent selon les époques, mais aussi les priorités en ce qui a trait à l'éthique.

De façon générale, dans ces œuvres indirectes il y a, tout comme dans les *œuvres au service d'une cause*, un travail d'éducation qui s'effectue, tel un redressement de torts. Ces œuvres nous disent, entre autres : *Ce que vous considériez comme conforme à l'éthique ne l'est peut-être pas ; au mieux, ces choses nous ont conduits aux grandeurs de la civilisation, au pire, à une fin du monde anticipée.* En faisant appel à la fois à notre instinct de survie et à la sagesse, on nous rappelle qu'il ne suffit pas de revoir superficiellement nos comportements, mais que nous devons plutôt réajuster en profondeur nos fondements éthiques.

À ces deux groupes s'ajoutent quelques œuvres plus difficiles à classifier. Nous pensons ici à celles de Michel Boulanger et de Cédule 40. Chez les auteurs de ces œuvres, pas de cause, du moins en apparence, ni de remise en question des normes éthiques. Si l'on s'efforce de leur trouver une cause, ce sera celle d'être préoccupés par l'agroalimentaire, ce qui contraste avec les propos quasi exclusivement urbains de l'art

[6] Cosimo Cavallaro. *I Was Here,* 2009

contemporain. Mais sont-elles vraiment inclassifiables, ces œuvres,
ou s'agirait-il plutôt d'une célébration de l'agroalimentaire ? D'œuvres
poétiques, innocentes ? Pas exactement puisqu'on y retrouve, savam-
ment présentés, les éléments clés des activités qui, inventées par l'humain il y a 10 000 ans, renvoient à des absolus de l'univers et, par extension, à la notion même de créativité : le circulaire, le cyclique, les
révolutions, la répétition dans le changement, le changement dans la
répétition, l'éternel retour, le fini et l'infini, sans oublier l'incarnation
la plus terrestre de ces récurrences, le rythme des saisons, éléments
qui constituent la dimension ontologique de ces œuvres.

Or, ces œuvres célestes sont aussi bien ancrées dans le sol, dans la terre,
dans la vie végétale et animale et nous rappellent, nous l'avions presque
oublié, que les activités agroalimentaires se doivent d'être prises au
sérieux, même dans les cubes blancs aseptisés des espaces d'exposition
de l'art contemporain. En cela on pourrait y percevoir, là aussi, un
recentrage sur les données fondamentales, un redressement de torts,
un appel à la révision, sinon des normes éthiques de nos musées, à tout
le moins de leurs priorités de recherche, de diffusion et de collectionnement. Devant ces œuvres, on comprend qu'il devient gênant d'ignorer
à un tel point les particularités de la vie rurale, qu'il s'agisse de la cul-

ture des plantes ou de l'élevage des animaux. Nous nous privons en cela des vérités ontologiques enchevêtrées que traîne à sa suite cette évidence : entre la naissance et la mort, nous mangeons et nous créons.

Vous l'aviez compris, ces trois catégories n'ont pour but que de nous permettre d'interroger ces œuvres, ce qui comporte son lot d'inexactitudes et d'arbitraire. Aussi les œuvres de ces artistes dépassent-elles, et de loin, ces interprétations qui, nous le reconnaissons, en limitent la portée. Force est de constater, par exemple, que des œuvres telles que celles de Troy David Ouellette correspondent à ces trois catégories : elles mettent de l'avant une cause, elles interrogent la notion d'éthique et elles font appel à des données fondamentales liées à la nature, au céleste et au processus créatif.

Cavallaro

L'œuvre présentée par l'artiste Cosimo Cavallaro à l'occasion de cette troisième édition de ORANGE nous a fortement interpellés. Si sa forme a su nous surprendre, la notion d'éthique a quant à elle été mise de l'avant de façon magistrale, et cela se vérifie par le commentaire anxieux entendu à maintes reprises au cours de l'événement : « Ça ne se fait pas de recouvrir des murs avec de la pâte de tomate, c'est inadmissible ! » L'œuvre de Cavallaro, intitulée *I Was Here*, nous invitait à régler des comptes avec nos phobies, nos penchants, nos répulsions, nos souvenirs d'enfance. Et pour pousser plus loin cette interprétation, c'est à la psychologie et aux effets libérateurs de la catharsis qu'il faudrait faire appel. Fortement marqués par la symbolique du sang, nous éprouvions, malgré le dégoût, le besoin de voir, de sentir et de toucher cette pâte odorante qui recouvrait les murs. Recherche d'un effet thérapeutique ? Rite de passage ? Occasion d'exorciser un mal intérieur généralisé ? Remise en question de nos fondements éthiques ?

D'abord, on reconnaissait la contemporanéité de cette œuvre au fait qu'elle se laissait apprécier non seulement par la vue, mais aussi par l'odorat et le toucher, et même par l'ouïe. À chacun de nos pas, le bruit de nos semelles qui se détachaient du sol ne laissait aucun doute, la surface du plancher était collante, ce qui ajoutait à l'inconfort. Pour ce qui est de l'odeur qui nous assaillait dès l'entrée du bâtiment, nommé pour l'occasion *Le Duclos*, impossible de l'éviter. Avant même de *pénétrer dans l'œuvre*, on la sentait, on la flairait de loin, on l'appréhendait, on l'approchait avec anxiété, avec fébrilité, une fébrilité contagieuse. En cela, il s'agissait moins d'une œuvre d'art visuel que d'*une proposition à vivre une expérience*. Puis, au-delà du fait que cette œuvre faisait appel à des sens autres que la vision, l'attrait indéniable de *I Was Here* résidait pour une bonne part dans les sensations ressenties par le spectateur. Cette œuvre nous touchait dans ce que nous avons de plus profond en nous : le sang, la nourriture, l'animalité, le meurtre.

Quoique l'inconfort et la répulsion faisaient l'unanimité, et cela même chez les gens qui ont entendu parler de l'œuvre sans l'avoir vue – *vécue* –, le pouvoir d'attraction de cette dernière était palpable : presque tout le monde souhaitait vivre l'expérience du *Ketchup Room*. Étrange. Le sang nous répugne, mais nous voulons le voir. Pour certains, une fois les réactions premières passées, la raison prenait le relais. On accepte mal

[1] À ce propos, lire le dossier « Éthique » de la revue *L'Art même : chronique des arts plastiques de la communauté française de Belgique*, n° 43, 2e trim., 2009, p. 3-17.

[2] ARDENNE, Paul. « Hard, specific soft ou global soft – l'artiste et la réformation des mœurs », op. cit., p. 16.

[3] *Ibid.*, p. 17.

[4] *Ibid.*, p. 17.

l'idée de gaspiller de la nourriture. On se rappelle notre enfance et cette phrase : On ne joue pas avec la nourriture. Ce qui nous amène à nous demander, au-delà de l'esthétique, qu'en est-il de l'éthique dans l'œuvre de Cavallaro ? À ce propos nous sommes tentés de répondre par une question adressée aux gens qui se sont dits outrés par ce *Ketchup Room* : pourquoi est-il choquant de couvrir les murs, le plafond, le plancher et les meubles d'un logement avec du ketchup ? En quoi cela est-il immoral, inacceptable, intolérable ? Il se produit pourtant tous les jours des choses beaucoup plus immorales que cela, mais que l'on accepte tout bonnement sans broncher. Pourquoi sommes-nous si troublés tout à coup ?

Conclusion

Entre *le cynisme froid* et *le sens du devoir*, il existe tout un monde, tantôt prenant la forme d'une mise en opposition de ces pôles, tantôt épousant les ondulations d'un enchaînement qui va, justement, de l'analyse décapante à la proposition de solutions qui favorisent le développement d'un monde meilleur – *meilleurisme*. Cette notion, le meilleurisme [1], nous l'empruntons à Paul Ardenne qui la présente comme suit : « Devenues courantes avec le tournant du 21e siècle, les manifestations d'un art éthique se caractérisent à cet égard par leur fréquente adhésion au consensus "meilleuriste", soucieux que soit améliorée la qualité de la vie [2]. » Fort pertinemment, Ardenne nous renvoie au concept d'*imagination morale* développé par le théoricien écologiste allemand Günther Anders (1902-1992). « Par cette formule, nous dit-il, ce dernier prend acte, quand une situation difficile nous est imposée, de la capacité humaine à envisager une réalité refondue, éthiquement plus conforme à nos attentes, privées comme collectives [3]. » Ardenne qualifie ces œuvres d'objets utiles dont l'ensemble constitue un produit artistique original. Un peu plus loin, l'auteur ajoute : « Que l'artiste du tournant du 21e siècle en conflit avec la morale établie ou les usages en matière de mœurs choisisse la manière dure, brutalement oppositionnelle, ou qu'il opte pour la manière douce mais persuasive cependant, il fait dans les deux cas la preuve de sa bonne compréhension des mécanismes d'amendement. Sa règle, de nature utilitariste, c'est celle du *Todo modo*, que l'on traduit d'ordinaire ainsi : "Tous les moyens sont bons". Faute de faire la loi, il n'est pas malvenu de pouvoir contribuer, le cas échéant, à la défaire [4]. »

Au cours de ORANGE 2009, la part belle a été faite à cette tendance regroupant des artistes sensibles aux réalités de ce début de 21e siècle, des artistes qui proposent un *mieux-être*, un *mieux-vivre ensemble*. Or, la tâche de l'artiste est-elle de faire que le monde s'améliore ? Est-ce là un devoir de l'artiste ? L'artiste a-t-il le devoir de quoi que ce soit sinon d'être sensible au monde et d'exprimer les aboutissements de ce ressenti ? Si l'artiste participant à ORANGE est un être sensible, aux aguets, à l'écoute de ce qui a été, de ce qui est et de *ce qui devrait advenir*, tous les artistes contemporains doivent-ils pour autant être interpellés par le *meilleurisme* ? Là-dessus nous sommes catégoriques : certainement pas ! Souhaitons cependant qu'un jour nous puissions commenter, bien vivants et soulagés, ce stade critique de l'épopée humaine tout en nous rappelant que c'est en partie grâce aux artistes *meilleuristes* si nous sommes toujours là.

L'abandon du subversif

En guise d'épilogue

De toute évidence, notre perception des choses vient de quelque part, elle ne peut sortir du néant comme par magie. Pour me faire une tête au sujet de la rencontre des deux sphères que sont l'esthétique et l'éthique, j'ai fait appel à l'expérience, au vécu – mon vécu non seulement de diffuseur de l'art contemporain, mais aussi d'ami des artistes. Vu la nature de mon travail, l'esthétique fait partie de mon quotidien. Et j'en suis heureux. En ce qui a trait à l'éthique, au-delà de l'incontournable *tempérance* proposée par les philosophes de l'Antiquité, en particulier par Aristote dans *Éthique à Nicomaque*, ce sont surtout les écrits de David Hume (1711-1776) qui ont retenu mon attention. J'ai grandement apprécié son approche pragmatique. Au lieu de s'attarder sur la culpabilisation que l'on accole abusivement à la notion de morale, Hume nous propose une approche utilitaire et concrète de la morale – une approche laïque, scientifique – tout en montrant ses liens avec les lois, la justice, la qualité de vie. On reconnaît dans ces propos finement rédigés les balbutiements de la psychologie. Ces lectures m'ont amené – et cela m'apparaît d'une importance capitale – à faire la distinction entre *les technologies*, qui évoluent rapidement, *les valeurs*, qui changent le temps d'une génération, et *la morale*, qui, pour sa part, ne se modifie que très lentement.

Nous prônons *l'amour du prochain* de façon quasi universelle par l'intermédiaire d'écrits, de croyances ou de la religion depuis plus de 2 500 ans. Ce n'est toutefois que tout récemment que l'égalité des sexes et des races a été défendue avec force et conviction. À la lumière de ces constats, une question ne cesse de me tracasser : si l'esclavagisme et le racisme sont aujourd'hui moralement inacceptables, en sera-t-il de même un jour de la destruction de la nature que nous connaissons aujourd'hui ? La chaîne de production et de transformation des aliments au service du profit deviendra-t-elle un jour aussi immorale que ne le sont maintenant l'esclavagisme et le racisme ? Est-ce du même ordre ? Du même degré de gravité ?

Dans ma quête, j'ai aussi dévoré les écrits de Friedrich von Schiller (1759-1805), en particulier ses *Lettres sur l'éducation esthétique de l'homme*. Je ne peux cacher l'enthousiasme que j'ai ressenti à la lecture de ces lettres qui, de façon magistrale, couplent les notions d'éthique et d'esthétique. Cependant, je suis aussi grandement déçu puisque cette proposition finement élaborée par Schiller au 18e siècle, cette façon de concevoir les œuvres et le monde n'a de toute évidence pas su gagner le cœur des humains.

Enfin, je m'en voudrais de passer sous silence Michel Onfray, ce philosophe vulgarisateur qui me réconforte quand il affirme que la philosophie se doit d'être concrète et de nous servir dans nos vies quotidiennes. Si l'auteur de *La raison gourmande* nous a fortement inspirés lorsque nous avons créé l'événement ORANGE en 2003, c'est en partie parce que l'ensemble de son œuvre réhabilite l'hédonisme.

Chacune des phrases, chacune des idées émises dans ce texte intitulé *Au-delà de la subversion* est teintée de l'esprit de ces philosophes pour qui, comme pour moi, le *meilleurisme* s'affiche telle une nécessité.

Beyond Subversion

*My taste, your taste, his taste,
her taste, our taste, their taste.
It's a matter of taste!*

Marcel Blouin

The notion of taste is germane to the discussion of both food and art, and even lifestyle. So, in 2009, ORANGE took up the challenge of exploring agri-food activities – its focus since 2003 – through the prism of two sciences intimately related to the notion of taste: aesthetics, the science of beauty in art; and ethics, the science of morality. An ambitious project, if ever there was one, which raised numerous questions. To begin with, the matter of standards of taste: How do we define good taste in respect to works of art? And is the question even still relevant, given artistic practices that, alongside – above, below and beyond – a quest for beauty, appeal to intelligence, logic and reflection, in the spirit of what we have taken to calling *conceptual art*? How do we determine what is ethically acceptable with regard to food, to the way it is grown, raised and processed? Is the age-old question of taste subjective or universal? The same goes for lifestyle: Should we promote singularity, regionality, cultural specificity, or *global uniformity*? Are there universal values in the name of which waging war is justified? How far can tolerance go in the face of difference? And, lastly, when it comes to aesthetics and ethics, are we capable of distinguishing between *observation* and *proposition*; in other words, between *this is, it seems to me, considering that,* and *here's what we should do, show, promote, because*? This *is*, that *should*. Uncertainty has supplanted certainty as much in aesthetics as in ethics, a lengthy process begun with the advent of humankind's great philosophical questions, the result of critical thinking. Much progress was made in this regard during the Renaissance, the Enlightenment and the twentieth century, three periods that saw, among other things, a growing desire for ownership by and for the common mortals we are. And now, in the early twenty-first century, it seems we are feeling the need – obligation? – to take a new step in the ownership process. Faced with global warming, with abuse and violence visited upon nature, we feel the need to establish a new global consensus that would encompass not only ethical, social, political and legal issues but also, hypothetically, everyday actions, poetry, art, aesthetics.

This look at the 2009 edition of ORANGE is based on three questions. First, how are ethics changing the path of art in the early twenty-first century and, as a sub-question, how is that changing our approach to art? In short, what about aesthetics? Second, to what extent are artists concerned with ethics today? And third, how do the works presented at ORANGE 2009 relate to ethics? The scope of these questions is extremely broad, and I make no claim to fully answer them here. Other, bolder and, let us hope, erudite voices will one day complete the picture with a fourth question: What is art? This question I leave – for the most part – to them.

How are ethics changing the path of art in the early twenty-first century and, as a sub-question, how is that changing our approach to art? In short, what about aesthetics? The answer to the question *How are ethics changing the path of art?* also responds to another question: *How is it that so many artists are interested in food, agriculture, ecology?* In fact, these two questions build on each other, merging to arrive at a single answer, a single finding: we fear for our survival. Gripped by a sense of urgency, we see that the resources necessary for life – water, air, food – are being harmed, and that, to remedy this situation, we must revisit the foundations of our values, our beliefs, our laws; in other words, our morality. Clearly, the foundations with which we grew up must be rethought if we want to avoid disaster. Hence the importance of promoting individual well-being, of course, but also of preserving the common good. Or at least that appears to be the message of the works shown at ORANGE 2009.

In a context where life's vital resources are being destroyed, our most basic activities become subject to ethical questioning. People are anxious, and the spirited vanguard to which artists belong is no exception. As a result, certain themes, materials, and ways of doing, seeing and, in this case, eating emerge from the works and approaches of artists concerned with promoting well-being. Ever since the first ORANGE event, in 2003, it has been clear that food, whether represented or real, provokes visceral reactions. Installation, the ephemeral and the perishable come into play, as do the notions of cycle, repetition and revolution. The resulting works go beyond abstraction and concepts to involve activities and concrete materials, and generally make reference to ethics, in one way or another, through direct and indirect relationships.

Can and should art be conserved in museums? *No more and no less than food*, according to many of the artists participating in ORANGE. Ordinarily, the public has little contact with artists and is drawn to works well defined in space and time. Whereas, at ORANGE, even though static objects are sometimes exhibited, viewers are most often invited to observe objects in transformation, or to participate in a communion, an action, a tasting. These activities recall the infinitely repeated gestures that go into cultivating the land, raising animals, putting food in our mouths. And those gestures, we are insistently reminded, are connected to what is most fundamental. Thus, it seems that present-day ethical concerns are indeed changing our approach to art. But to what extent?

To what extent are artists concerned with ethics today? Can contemporary art still be called subversive? In reaction to the established order, or what they perceive as such, artists operating on the mainstream's margins have more often than not played a scathing role as talented, avant-garde awareness raisers or belief shakers – and at times as egotistical anarchists, all sorts being possible. Much of contemporary art, meaning art since the sixties, or even since Duchamp, seems to be characterised by one word: subversion. As if all of us in the contemporary art world were leagued against the dominant culture based, simply put, on the dominant Western ideology: mass consumption, media as instruments of capitalism, etc.

[8] Daniel Corbeil. *Étuveuse climatique*, 2004-2009

But given the chaos, given the very real possibility of the abrupt end of the world confirmed by reason and science (themselves in part responsible for the situation), can artists continue on the path of subversion, of sabotaging a system that confines them to the role of commentator having little real impact on people's daily lives? In the current context, fearing for the survival of the planet and of humankind, in particular, artists appear to be changing tack. After making do with the role of observer, albeit enlightened, brilliant, subversive, the artist is becoming a guide, the promoter of another world, of another way of life, a new ethic. In essence, this guide (guru?) cares about living, about well-being. Artists, it seems, are shifting from observing opulent societies – let's not forget that contemporary art is the purview of wealthy nations – to sounding the last-chance alarm.

The art of pre- and post-Revolutionary France cannot be studied without taking into account the historical context in which it evolved. No one can properly appreciate works from that period by the likes of, say, Eugène Delacroix or Jacques-Louis David without considering the profound desire to lay the foundations of democracy that coincided with the creation of republics and the fall of monarchical regimes. By the same principle, anyone making or studying present-day art must consider the historical context in which it has emerged: a capitalist industrial society running out of steam. As things now stand, warn countless commentators, unless we correct the situation we will soon be taking our last step: global collective suicide. A Great Work indeed!

To answer the question under consideration, we must keep in mind that ethics are a key concern in the early twenty-first century. And that the presence, if not omnipresence, of ethics is seen as a necessity that just might save humanity from its own destruction. The ultimate utopia? Whatever path today's artists may choose to take, their creations will likely be studied against this backdrop, if only to observe, with hindsight, that they worked outside the prevailing trend.

<u>What do the works presented at ORANGE 2009 have to do with ethics?</u>
I believe that there are several types of relationship between artworks and the notion of ethics, and that they can be seen as direct and indirect. There is a direct relationship when a work deals with an issue commonly covered in the media: waste, pollution, abusively industrialised production methods, world hunger, extinction of species, destruction of the natural environment, global warming, etc. The works by Nikolaus Geyrhalter, Daniel Corbeil, Simon-Pier Lemelin and Ron Benner are of this sort. And given that it denounces unawareness, ignorance and, by extension, ethnocentrism, Shelly Low's piece can also be included in this category. Harm is happening everywhere and we must combat it. But how? The answer varies widely. The identified oppression may be unilateral, but the responses draw on imagination. A world to invent. To reinvent.

Works with an indirect connection to ethics take longer to grasp. Consider those by Thierry Arcand-Bossé, Griffith Aaron Baker, Dean Baldwin and Cosimo Cavallaro. At first glance, the connection is not obvious. Yet, paradoxically, these indirect works take direct aim at the notion of ethics, with no sidestepping, no reference to cause or battle. The question they pose goes like this: *What is ethically acceptable in general?* For example,

Beyond Subversion

Arcand-Bossé demonstrates that, whereas extremist groups were once likely to use kidnapping to advance causes such as the defence of a people, a nation, a language, etc., the symbol to stuff into a car trunk is now Ronald McDonald. Who, in the Quebec of the sixties or seventies, could have imagined that our eating habits would become a cause more important than defending a people's language, important enough to consider kidnapping? Everyone, without exception, eats in order to live. And what we eat has become worrisome. Arcand-Bossé reminds us that just as society's mores change with the times, so do its ethical priorities.

As a general rule, the indirect works, like cause-serving works, have an educational purpose, such as righting a wrong. They tell us, for instance: *What you would consider ethical may not be so; in the best case, these things have led to the grandeur of civilisation; in the worst case, to the premature end of the world.* Appealing to our survival instinct and wisdom, the artists caution us that it is not enough to change our behaviours superficially, that we must revisit our ethical foundations in depth.

Along with the *direct* and *indirect* groups are a few works harder to classify, such as those by Michel Boulanger and Cédule 40. These artists champion no cause, at least not overtly, nor do they question ethical standards. If a cause had to be named, it would be a concern with rural issues, as opposed to the almost exclusively urban concerns of contemporary art. But are these works really unclassifiable, or are they in fact a celebration of agriculture? Are they innocent, poetic works? Not exactly, since they artfully present key elements of human activities invented 10,000 years ago that relate to universal absolutes and, by extension, to the very notion of creativity: circles, cycles, revolutions, repetition in change, change in repetition, endless rotation, the finite and the infinite, not to mention the most earthly embodiment of these recurrences: the rhythm of the seasons, responsible for the ontological dimension.

These *celestial works* are also firmly rooted in the soil, earth, plant and animal life, and they remind us (lest we forget) that agri-food activities must be taken seriously, even in the sterile white cubes of contemporary art exhibition spaces. This, too, could be seen as a refocus on fundamental issues, a righting of wrongs, a call to revise, if not the ethical standards of our museums, then at least their research, presentation and collection priorities. Viewing these works underscores our embarrassing ignorance of the particularities of rural life, whether in growing plants or raising animals. We are depriving ourselves of the tangled ontological truths that stem from an obvious fact: between birth and death, we eat and we create.

As is no doubt clear by now, the three categories serve only to frame this discussion of the works, with its share of inaccuracies and arbitrariness. But the works themselves go far beyond these interpretations, which, admittedly, limit their scope. Pieces such as those by Troy David Ouellette, for example, fit all three categories: they advance a cause, they address the notion of ethics, and they deal with fundamental issues related to nature, the divine and the creative process.

[6] Cosimo Cavallaro. *I Was Here*, 2009

Cavallaro

The work presented by Cosimo Cavallaro at the third edition of ORANGE
aroused strong feelings. Though its form was startling, it conveyed the
ethical notion in masterful fashion, as confirmed by an anxious remark
heard over and over during the event: "You can't cover walls with ketchup!
That's unacceptable!" Cavallaro's piece, titled *I Was Here*, invited us to
settle scores with our phobias, our proclivities, our disgusts, our childhood
memories. And to push this interpretation further would mean looking
to psychology and the liberating effects of catharsis. Transfixed by the
symbolism of blood, and despite a sense of disgust, viewers felt the need
to see, smell and touch the redolent paste that coated the walls. For a
therapeutic effect? A rite of passage? To exorcise inner pain? To question
their ethical foundations?

The contemporary nature of the work was evident in that it revealed itself
not only through sight but through smell, touch and even hearing. Every
step produced the sound of soles peeling off the sticky floor, adding to
the discomfort. As for the odour that assailed the nostrils at the entrance
of the building (named Le Duclos for the occasion), there was no avoiding
it. Even before *entering the work*, the visitor smelled it, detected it from afar,
dreaded it, approached it with anxiety, with febrility, a contagious febrility.
In this sense, it was less a visual artwork than *a proposal to live an experience.* Besides the fact that *I Was Here* solicited senses other than sight,

Beyond Subversion

its undeniable appeal lay largely in the sensations it induced. This piece touched the deepest levels of our being: blood, food, animality, murder.

Although the work aroused unanimous feelings of discomfort and disgust, even among people who had heard of but not seen – *experienced* – it, its power of attraction was palpable: almost everyone wanted to experience the ketchup room. It's strange how blood disgusts us yet we want to see it. Once past their initial reaction, some people offered reasoned comments. They were uneasy with the idea of wasting food. They recalled their childhood and the admonition "Don't play with your food." Which leads me past aesthetics to the question of ethics in Cavallaro's work. Here I am tempted to answer with a question for those who were shocked by the ketchup room: Why is it shocking to cover the walls, ceiling, floor and furniture of an apartment with ketchup? How is that immoral, unacceptable, intolerable? Far more immoral things happen every day but we accept them without batting an eye. What makes this piece so troubling all of a sudden?

Conclusion

Between *cold cynicism* and *a sense of duty* lies a myriad range of approaches, sometimes pitting the extremes in confrontation, other times running like the ripples of a stream from caustic analysis to the proposal of solutions that encourage the development of a better world, or "betterism." The notion of betterism (*meilleurisme* [1]) is borrowed from Paul Ardenne, who defines it like this: "Manifestations of an ethical art, which became common with the turn of the twenty-first century, are characterised in this regard by frequent adherence to the "betterist" consensus, concerned with improving the quality of life." [2] Ardenne makes pertinent reference to the concept of *moral imagination* devised by the German theorist and environmentalist Günther Anders (1902-1992), explaining that Anders "uses this term in respect to our ability as humans, when faced with a dilemma, to envisage a recast reality, ethically closer to our private and collective expectations." [3] Betterist works, says Ardenne, are useful objects that, together, constitute an original artistic product. He goes on to add, "Whether early twenty-first century artists in conflict with the established morality or lifestyle choose the hard, brutally confrontational approach, or opt for the soft but persuasive approach, in both cases they demonstrate a good understanding of change mechanisms. Their practical rule is *Todo modo*, commonly understood as 'one way or another.' If you can't make the law, it's already good to able to help change it, if need be." [4]

At ORANGE 2009, much of the focus was on this trend among artists sensitive to the realities of the new century, artists who propose *better well-being, better collective living*. But is it the artist's job to make the world a better place? Is this an artist's duty? Do artists have any duty other than to be receptive to the world and to express what they feel? If the artists participating in ORANGE are sensitive beings, attentive to what has been, what is, and *what should happen*, does this mean that all contemporary artists should concern themselves with betterism? My answer to that is categorical: certainly not! Let us hope, though, that one day, alive and well, we will be able to look at this critical phase of the human saga with the realisation that it is in part thanks to the betterist artists that we are still around.

[1] On this subject, see the feature "L'Éthique," *L'Art même : chronique des arts plastiques de la communauté française de Belgique*, no. 43 (2009), pp. 3-17.
[2] ARDENNE, Paul. "Hard, specific soft ou global soft – l'artiste et la réformation des mœurs," *ibid.* p. 16.
[3] *Ibid.*, p. 17.
[4] *Ibid.*

By Way of an Epilogue

The way we perceive things plainly comes from somewhere; it can't magically spring from nothing. To hone my thoughts on the way the spheres of aesthetics and ethics coincide, I turned to experience, to life – to my life, not only as a disseminator of contemporary art but as a friend to artists. Given the nature of my work, I deal with aesthetics every day. And I enjoy that. As for ethics, beyond the inevitable *temperance* promoted by the ancient philosophers, especially Aristotle, in *Nicomachean Ethics*, my main interest was in the writings of David Hume (1711-1776). I found his pragmatic approach very appealing. Instead of focusing on the notion of guilt that we misguidedly associate with the notion of morality, Hume proposes a utilitarian, concrete approach – a secular, scientific approach – to morality, while at the same time showing how it connects to laws, justice and quality of life. In his finely crafted arguments we see the first glimmers of psychology. Reading these works led me – and I see this as crucially important – to distinguish between *technologies*, which evolve rapidly, *values*, which change in the space of a generation, and *morality*, which shifts very slowly.

For more than 2,500 years, we have almost universally advocated *brotherly love* through writings, beliefs or religion. But only recently have we come to defend gender and racial equality with force and conviction. In light of this fact, a question keeps running through my mind: if slavery and racism are morally unacceptable today, will the same one day be true of our current destruction of nature? Will the for-profit food production and processing chain become as immoral as slavery and racism are now? Is it equally important? Equally serious?

I also devoured the writings of Friedrich von Schiller (1759-1805) in my quest, in particular his *Letters Upon the Aesthetic Education of Man*. I cannot hide the excitement I felt on reading these letters, which couple the notions of ethics and aesthetics in masterful fashion. However, I also feel deep disappointment, because it is clear that this concept admirably developed by Schiller in the eighteenth century, this approach to art and the world, has not won human hearts.

Lastly, I would be remiss not to mention Michel Onfray, a popularising philosopher who reassures me when he says that philosophy should be tangible and useful in our daily lives. If the author of *La raison gourmande* was a strong influence when we created the ORANGE event, in 2003, it was in part because the whole of his œuvre redeems hedonism.

Every sentence, every idea found in this text titled *Beyond Subversion* is tinged with the spirit of these philosophers who, as I do, see *betterism* as a necessity.

Liste des œuvres
présentées

Liste des œuvres
présentées

List of Works
Presented

[1] Thierry Arcand Bossé *Kidnapping de symbole*
Kidnapping de symbole, 2009
Acrylique sur toile
183 x 550 cm

[2] Griffith Aaron Baker *Petro Max'd*
Petro Max'd, 2009
Sculpture composée de 40 000 bouchons de plastique
309 cm x 96,5 cm de diamètre

[3] Dean Baldwin *The Margaritaville Town Fountain*
The Margaritaville Town Fountain, 2009
Installation
Bois, matériaux divers et denrées alimentaires
Environ 462 x 470 cm (dimensions d'exposition)

[4] Ron Benner *¿Qué culpa tiene el tomate?*
¿Qué culpa tiene el tomate?, 2009
Installation
12 plants de tomates, photographies et poème
Environ 820 x 560 cm (dimensions d'exposition)

[5] Michel Boulanger *Champ témoin*
Champ témoin. Chapitre I. Monter, 2008
Film d'animation en 3D numérique
2 min en boucle

Champ témoin. Chapitre II. Fuir, 2008-2009
Film d'animation en 3D numérique
4 min, 42 s en boucle

Le travail des surfaces, 2006-2008
Série de 5 impressions numériques
89 x 119 cm chacune

[6] Cosimo Cavallaro *I Was Here*
I Was Here, 2009
Installation
Appartement de trois pièces et demie, mobiliers divers et ketchup
Environ 635 x 800 x 280 cm (dimensions d'exposition)

[7] Cédule 40 *Révolution*
Révolution, 2009
Installation
Structure métallique, roue de tracteur, semoirs, semences, gazon

[8] Daniel Corbeil *Étuveuse climatique*
Étuveuse climatique, 2004-2009
Installation
Matériaux de plastique, denrées alimentaires diverses et dessins
Environ 400 x 563 cm (dimensions d'exposition)

Liste des œuvres présentées / List of Works Presented

[9] BBB Johannes Deimling *Au commencement était le verbe [Speechless]*
Au commencement était le verbe [Speechless], 2009
Performance
Nouilles de la forme des lettres de l'alphabet, 12 bibles

[10] Nikolaus Geyrhalter *Our Daily Bread / Notre pain quotidien*
Our Daily Bread / Notre pain quotidien, 2005
Vidéo de 90 min

[11] Joseph Kohnke *Smart and Final* et *After the Fact*
Smart and Final, 2008
Table à pique-nique, ustensiles de plastique, moteurs, acier inoxydable
152 x 91 x 74 cm

After the Fact, 2009
Boîtes à lunch, thermos, moteurs, acier inoxydable
Environ 400 x 500 cm (dimensions d'exposition)

[12] Simon-Pier Lemelin *Énoncé sociobiologique*
Énoncé sociobiologique, vol. 1, 2009
4 impressions numériques sur toile
320 x 570 cm chacune

Énoncé sociobiologique, vol. 2, 2009
Installation
Bois, photographies, denrées alimentaires, arme, vidéo *Wrapped Dunk Hunt* (1 min, 48 s en boucle)
Environ 368 x 270 cm (dimensions d'exposition)

[13] Shelly Low *Buffet Toi & Moi*
Buffet Toi & Moi, 2009
Boîtes lumineuses, vidéos, assiettes, lettrage
Environ 887 x 437 cm (dimensions d'exposition)

[14] Troy David Ouellette *Fog Factory* et *Diversions*
Fog Factory, 2007
Acier recyclé, remorque préfabriquée, résine de plastique, rivets, minuterie, panneau solaire, machines à brouillard
213 x 152 x 300 cm

Diversions, 2009
Matériaux de plastiques recyclés, dessins et supports métalliques
Environ 422 x 290 cm (dimensions d'exposition)

Notices
biographiques

Biographical
Notes

Thierry Arcand-Bossé

Né en 1976 à Québec, où il vit et travaille, Thierry Arcand-Bossé est titulaire d'un baccalauréat en arts visuels de l'Université Laval, à Québec, obtenu en 2003. Parmi ses expositions individuelles, notons *Copyright*, présentée en 2005 à la Maison de la culture Notre-Dame-de-Grâce, à Montréal. Des expositions collectives auxquelles il a participé, soulignons *Les Connivences*, présentée lors du 26ᵉ Symposium international d'art contemporain de Baie-Saint-Paul en 2007, ainsi que *Vue sur Québec*, une exposition présentée en 2008 à Liverpool, en Angleterre, et coordonnée par la Manifestation internationale d'art de Québec. Ses œuvres figurent de plus dans la collection du Musée national des beaux-arts du Québec, à Québec.

Born in 1976 in Quebec City, where he lives and works, Thierry Arcand-Bossé holds a BFA (2003) from the Université Laval, in Quebec City. His credits include solo shows such as *Copyright* (2005, Maison de la culture Notre-Dame-de-Grâce, Montreal). Group shows include *Les Connivences* (2007, 26th edition of Baie-Saint-Paul's International Symposium of Contemporary Art) and *Vue sur Québec* (2008, organised by La Manifestation internationale d'art de Québec and showed in Liverpool, England). He is represented in the collection of the Musée national des beaux-arts du Québec, in Quebec City.

Sylvette Babin

Sylvette Babin est née en 1967 à Caplan, en Gaspésie. Elle vit et travaille maintenant à Montréal. Elle a complété une maîtrise en open media à l'Université Concordia, à Montréal, en 1999, ainsi qu'un baccalauréat en arts plastiques à l'Université du Québec à Trois-Rivières en 1993. Depuis, elle a présenté ses installations et ses performances au Canada, et dans différents pays, dont l'Italie, la Corée, la Chine, l'Allemagne et l'Irlande, pour ne nommer que ceux-ci. Parmi les divers événements auxquels elle a pris part, signalons *Infr'Action 07*, Festival international de performance, et *Préavis de désordre urbain*, deux événements s'étant déroulés en 2007 dans différents quartiers de Sète et de Marseille, en France. En plus de sa pratique artistique, Sylvette Babin est également auteure, commissaire et directrice de la revue *esse arts + opinions* depuis 2002. De plus, notons qu'elle a été la commissaire de l'exposition *Les Convertibles*, présentée à Québec en 2006, soulignant les dix ans des Journées de la Culture.

Montreal-based Sylvette Babin was born in 1967 in Caplan, Gaspésie. She holds an MFA in open media from Concordia University (1999) and a BFA from Université du Québec à Trois-Rivières (1993). Her installations and performances have been seen in Canada, Italy, Korea, China, Germany, Ireland and elsewhere. In 2007, she appeared at *Infr'Action 07*: Festival international de performance and *Préavis de désordre urbain*, street events held in the French cities of Sète and Marseilles. A writer, a curator and, since 2002, director of the art magazine *esse arts + opinions*. She was also the curator of *Les Convertibles* (2006, for the 10th anniversary of Les Journées de la Culture, Quebec City).

Griffith Aaron Baker

Né à Saskatoon, en Saskatchewan, en 1981, Griffith Aaron Baker est maintenant établi à Prince Albert. Il a complété en 2009 une maîtrise en beaux-arts à l'Université Concordia, à Montréal, et il est également diplômé de l'Université de Régina. Depuis 2011, il est le directeur-conservateur de la Mann Art Gallery de Prince Albert, en Saskatchewan. Par sa démarche artistique, il critique le laxisme des Nord-Américains en matière de gestion des déchets. De ses récentes expositions individuelles, signalons *Le Radeau du Marasme*, présentée à la Maison de la culture du Plateau Mont-Royal, à Montréal, en 2008, et *Consumed*, présentée en 2011 à la Art Gallery of South-Western Manitoba, à Brandon. Parmi les expositions collectives auxquelles il a pris part, mentionnons *Pale Blue Dot*, présentée à la Art Gallery of Regina, en Saskatchewan, en 2008, ainsi que *Detritus Ecologies*, présentée à la Gallery 101 de Ottawa, en Ontario, en 2011.

Born in Saskatoon in 1981, Griffith Aaron Baker lives and works in Prince Albert, in Saskatchewan. Prior to earning an MFA (2009) from the Concordia University in Montreal, he also has a degree from the University of Regina, in Saskatchewan. He is the director-curator at the Mann Art Gallery of Prince Albert since 2011. His work is a critique of the lax attitudes of North Americans towards waste management. Recent solo exhibitions include *Le Radeau du Marasme* (2008, Maison de la culture du Plateau Mont-Royal, Montreal) and *Consumed* (2011, Art Gallery of South-Western Manitoba, Brandon). Group shows include *Pale Blue Dot* (2008, Art Gallery of Regina, Saskatchewan) and *Detritus Ecologies* (2011, Gallery 101, Ottawa, Ontario).

Dean Baldwin

Né en 1973 à Brampton, en Ontario, Dean Baldwin partage maintenant son temps entre Montréal, Toronto et Londres. Il possède une formation en arts visuels de l'Université York, à Toronto, ainsi qu'une maîtrise en arts visuels de l'Université Concordia, à Montréal. Il a présenté ses oeuvres principalement au Canada, mais aussi en Grande-Bretagne, en Italie, aux États-Unis, au Japon et en Yougoslavie, et ce, depuis la fin des années 1990. Parmi les projets qu'il a réalisés, mentionnons *Ship in a Bottle* (2011), proposé au Musée d'art contemporain de Montréal, *Bunk Bed City* (2011), présenté au Centre Clark, *The Ice Fisher* (2010), montré à l'occasion de l'événement *Nuit Blanche* à Toronto, *Minibar* (2007), présenté à la galerie Mercer Union de Toronto.

Dean Baldwin was born in Brampton, Ontario, in 1973 and now divides his time between Montreal, Toronto and London, England. He studied visual arts at York University in Toronto and holds an MA in visual arts from Concordia University in Montreal. Since the late 1990s, his work has been exhibited mostly in Canada but also in Great Britain, Italy, the United States, Japan and Yugoslavia. Among his projects shown are *Ship in a Bottle* (2011, Musée d'art contemporain de Montréal, Montreal), *Bunk Bed City* (2011, Clark, Montreal), *The Ice Fisher* (2010, *Nuit Blanche*, Toronto), *Minibar* (2007, Mercer Union Gallery, Toronto).

Ron Benner

Ron Benner est né en 1949 à London, en Ontario, où il vit et travaille. Après des études en ingénierie agricole à l'Université de Guelph, en Ontario, en 1969 et 1970, il visite l'Amérique centrale, l'Amérique du Sud, l'Europe et l'Asie. C'est au milieu des années 1970 qu'il commence à exposer ses œuvres. De ses récentes expositions individuelles, soulignons /10. *Un projet de jardin par Ron Benner* (2010, Galerie d'art Foreman, Sherbrooke, Québec), *Trans/mission : Blé d'inde* (2008, AXE-NÉO7, Gatineau, Québec), et *Trans/mission* (2003, EXPRESSION, Saint-Hyacinthe, Québec), des installations se voulant la continuité d'un vaste projet amorcé en 1996. Parmi ses autres expositions individuelles, mentionnons également *Trans/mission: African Vectors* (2002), présentée à la Oakville Galleries à Oakville, en Ontario, et *Trans/mission: Corn Vectors* (1998-2001) proposée à l'Université Western Ontario, à London. En 2008, le Museum London, en Ontario, lui a consacré un catalogue rétrospectif sur ses installations et jardins : *Jardins d'un présent colonial*. Il a aussi participé à plusieurs expositions collectives dont quelques-unes à l'étranger, soit en Espagne (2002), en Inde (1998), à Cuba (1998) et au Mexique (1980). Notons que ses œuvres font partie de plusieurs collections dont celles du Musée des beaux-arts du Canada, à Ottawa, et de la McIntosh Gallery, à l'Université Western Ontario.

Ron Benner was born in 1949 in London, Ontario, where he lives and works. After studying at Ontario's Guelph University (1969-1970), he traveled in Central and South America, Europe and Asia. Recent solo exhibitions include /10. *A Garden Project by Ron Benner* (2010, Foreman Art Gallery, Sherbrooke, Quebec), *Trans/mission : Blé d'inde* (2008, AXENÉO7, Gatineau, Quebec) and *Trans/mission* (2003, EXPRESSION, Saint-Hyacinthe, Quebec), installations who are the prolongation of a vast project begun in 1996. Other solo shows include *Trans/mission: African Vectors* (2002, Oakville Galleries, Oakville, Ontario) and *Trans/mission: Corn Vectors* (1998-2001, University of Western Ontario, London). In 2008, the Museum London, in Ontario, had produced a publication containing photographic documentations of Ron Benner's numerous garden projects: *Gardens of a Colonial Present*. He has participated in group shows as well, some of them abroad: Spain (2002), India (1998), Chile (1998), Cuba (1988) and Mexico (1980). His work is represented in the National Gallery of Canada in Ottawa, the McIntosh Gallery at University of Western Ontario and other collections.

Marcel Blouin

Né en 1960 à Saint-Barnabé-Sud, Marcel Blouin travaille à Saint-Hyacinthe. Depuis 2000, il est titulaire d'une maîtrise en études des arts de l'Université du Québec à Montréal ayant pour question principale : en quoi la photographie numérique propose-t-elle une nouvelle expérimentation du réel visible ? Depuis 2001, il est directeur général et artistique d'EXPRESSION, Centre d'exposition de Saint-Hyacinthe. Auparavant, de 1985 à 1997, il a été directeur de Vox Populi, centre de diffusion de la photographie, à Montréal, y ayant de plus fondé le Musée Virtuel de la Photographie, dont il a été le directeur de 1993 à 2001. Il est aussi cofondateur du Mois de la Photo à Montréal et en a assuré la codirection de 1987 à 1989, puis la direction de 1990 à 1997. Il a de plus été instigateur et commissaire, avec Mélanie Boucher et Patrice Loubier, de la première édition de ORANGE, L'événement d'art actuel de Saint-Hyacinthe (2003). En 2006, il participe à la deuxième édition de l'événement comme commissaire, en compagnie d'Eve-Lyne Beaudry, de Catherine Nadon et de Myriam Tétreault. Marcel Blouin est également auteur et artiste. Parmi ses expositions individuelles, mentionnons *Le Paradis des framboises*, montrée en 2001 à Séquence, à Chicoutimi, ainsi qu'à Vu, centre de diffusion et de production de la photographie, dans le cadre de la Manifestation internationale d'art de Québec, en 2003.

Born in 1960 in Saint-Barnabé-Sud, Marcel Blouin works in Saint-Hya-cinthe. He holds an MA in art studies (2000) from Université du Québec à Montréal, where his thesis addressed the question of how digital photography offers a new representation of visible reality. Since 2001, he has been the general and artistic director of EXPRESSION. Previously, he headed Vox Populi, centre de diffusion de la photographie in Montreal (1985-1997), where he also founded and headed the Virtual Museum of Quebec Photography (1993-2001). Cofounder of Mois de la Photo à Montréal, he served as a co-director from 1987 to 1989 and as a direc-tor from 1990 to 1997. In 2003, he initiated and curated the first edition of ORANGE: Contemporary Art Event of Saint-Hyacinthe in collaboration with Mélanie Boucher and Patrice Loubier. He has also participated at ORANGE II (2006) as a curator with Eve-Lyne Beaudry, Catherine Nadon and Myriam Tétreault. Marcel Blouin is a writer and artist. His solo shows include *Le Paradis des framboises* (2001, Séquence, Chicoutimi, and 2003, VU, centre de diffusion et de production de la photographie, Quebec City, in the Manifestation internationale d'art de Québec).

Michel Boulanger

Né en 1959 à Montmagny, Michel Boulanger vit et travaille à Montréal, où il enseigne à l'École des arts visuels et médiatiques de l'Université du Québec à Montréal depuis 2001. Détenteur d'un baccalauréat et d'une maîtrise en arts plastiques, il explore depuis une quinzaine d'années le processus de formation des images et le rôle de ces dernières dans notre définition de la réalité. Ses œuvres ont été exposées au Québec, au Canada, aux États-Unis, en Espagne, en France et au Mexique. De ses expositions individuelles, mentionnons *Traîner son lourd passé*, présentée en 2003 au Musée d'art contemporain de Montréal, ainsi que *Linéaments*, proposée en 2010 à Plein sud, centre d'exposition en art actuel à Lon-gueuil. Des expositions collectives auxquelles il a pris part, soulignons *De retour après la pause*, présentée en 2008 à la Maison de la culture Notre-Dame-de-Grâce, à Montréal, ainsi que *Libre échange*, montrée en 2007 à la Galerie de l'UQAM. Ses œuvres figurent de plus dans les collections du Musée des beaux-arts de Montréal et du Musée d'art contemporain de Montréal.

Michel Boulanger was born in 1959 in Montmagny. He lives in Montreal and has taught at the École des arts visuels et médiatiques in the Université du Québec à Montréal since 2001. He holds a bachelor's and a master's degree in visual arts and for the past fifteen years has been exploring the process whereby images are formed and their role in our definition of reality. He has exhibited widely in Canada, the United States, Spain, France and Mexico. His solo presentations include *Traîner son lourd passé* (2003, Musée d'art contemporain de Montréal) and *Linéaments* (2010, Plein sud, centre d'exposition en art actuel à Longueuil). He took part in a few group shows such as *De retour après la pause* (2008, Maison de la culture Notre-Dame-de-Grâce, Montreal) and *Libre échange* (2007, Galerie de l'UQAM, Montreal). He is represented in the collections of the Musée des beaux-arts de Montréal and the Musée d'art contemporain de Montréal.

Cosimo Cavallaro

Fils d'immigrants italiens, Cosimo Cavallaro est né en 1961 à Montréal où il poursuit des études en beaux-arts, formation qu'il complète par la suite en Italie et aux États-Unis. Depuis le début des années 1980, ses œuvres et ses interventions ont principalement été présentées en Amérique du Nord et en Europe, et ont suscité de vives réactions médiatiques dans le monde entier. À travers sa production, l'artiste dit vouloir s'adresser à une multitude de publics en explorant les notions antagoniques de besoin et de désir, de connu et d'inconnu, de sécurité et d'incertitude. De ses récentes réalisations, signalons *Chocolate Jesus* et *Chocolate Saints*, présentées en 2008 à The Proposition Gallery de New York, aux États-Unis - à la suite du retrait de l'exposition en 2007 à la Lab Gallery de New York, relativement à des protestations de l'Église catholique -, ainsi que *Burning Piano*, respectivement montrée en 2003 à la Galerie d'art du College of Arts and Sciences de Fort Myers, en Floride, et à la Ingrid Raab Gallery de Berlin, en Allemagne. Cosimo Cavallaro a également connu une forte carrière dans le milieu cinématographique au cours des années 1980 et 1990.

Cosimo Cavallaro's parents emigrate from Italy to Canada and he was born in Montreal in 1961, where he studied fine arts, studies he continued in the United States and Italy. Since the early 1980s, his works and interventions have been shown mostly in North America and Europe and have created strong reactions in the media over the world. Cavallaro remarks about his work that he wishes to address a variety of audiences by exploring the antagonistic notions of need and desire, the known and the unknown, security and uncertainty. Recent works shown solo include *Chocolate Jesus* and *Chocolate Saints* (2008, The Proposition Gallery, New York; show cancelled in 2007 at the Lab Gallery in New York because of a protest from the Catholic Church) and *Burning Piano* (2003, Art Gallery of the College of Arts and Sciences of Fort Myers, Florida, United States, and Ingrid Raab Gallery, Berlin, Germany). Cosimo Cavallaro also had a great career as a film director in the 1980's and 1990's.

Cédule 40

Cédule 40 est un collectif du Saguenay formé par les artistes Julien Boily, Sonia Boudreau, Étienne Boulanger et Noémie Payant-Hébert. Depuis 2005, ce collectif poursuit une démarche transdisciplinaire qui allie installation, architecture, sculpture et dispositifs mécaniques. Sensibles à l'aspect visuel et à l'ingéniosité technique de l'outil, les artistes conçoivent des œuvres ludiques qui se veulent également poétiques. Parmi les expositions collectives auxquelles ils ont pris part, signalons *Bascule*, une œuvre évolutive présentée de 2006 à 2010 au Festival international de jardins de Métis, à Grand-Métis. De leurs récentes réalisations, mentionnons *Rouages*, un jardin contemporain éphémère présenté en 2008 à l'occasion du 400e anniversaire de la ville de Québec. En 2010, le collectif a également dévoilé une œuvre commémorative, *La Glissoire*, présentée dans la ville d'Alma au Québec.

Cédule 40 is an artist's collective from Saguenay made up of Julien Boily, Sonia Boudreau, Étienne Boulanger and Noémie Payant-Hébert. Since 2005, this collective has been engaged in a multidisciplinary project joining installation, architecture, sculpture and mechanical devices. Aware of the visual quality and technical ingenuity of tools, the artists design pieces that are equally playful and poetic. From 2006 to 2010, the artist's collective have been showing at the International Garden Festival an evolving work entitled *Bascule* (Grand-Métis, Quebec). Recent works shown include *Rouages* (2008, Quebec City), an ephemeral contemporary garden produced for the Quebec City's 400th anniversary. In 2010, Cédule 40 has unveiled a commemorative work, *La Glissoire*, currently shown in the city of Alma in Quebec.

Daniel Corbeil

Né en 1960 à Val d'Or, en Abitibi-Témiscamingue, Daniel Corbeil vit et travaille à Montréal. Il est titulaire d'une maîtrise en arts visuels et médiatiques de l'Université du Québec à Montréal, obtenue en 1998, mais expose ses œuvres depuis 1989 au Canada, en France, au Danemark et en Suisse. Intéressé par les problématiques environnementales actuelles, il réalise des photographies, des installations et des dispositifs de maquettes utilisant le simulacre technique comme moyen d'explorer la représentation du paysage. Mentionnons deux expositions individuelles récentes de Daniel Corbeil présentées au Québec : *Maquettes et autres dispositifs climatiques* (2010) à AxeNéo 7 et *Architecture-Fictions* (2009) à la Galerie des arts visuels de l'Université Laval. En 2009, il réalisait également une résidence d'artiste au Centre Sagamie et a présenté, pour l'occasion, le projet *Paysage Fractionné*.

Born in 1960 in Val d'Or, Abitibi-Témiscamingue, Quebec, Daniel Corbeil lives and works in Montreal. He holds an MA from the Université du Québec à Montréal (1989) and has been exhibiting in Canada, France, Denmark and Switzerland since 1989. Developing his interest in contemporary environmental issues, he has been producing photographs, installations, and arrangements of models using technical mock-ups as a mean of portraying landscape. Recent solo shows in Quebec include:

Maquettes et autres dispositifs (2010, AxeNéo7) and *Architecture-Fictions* (2009, Galerie des arts visuels, Université Laval). In 2009, he was participating in an artist residency at the Sagamie Centre and has presented for the occasion the project *Fractured Landscape*.

BBB Johannes Deimling

BBB Johannes Deimling est né en 1969 dans la ville d'Andernach en Allemagne. Depuis 1988, son travail et ses performances ont été présentés en Allemagne et dans différents pays, dont la Pologne, la Suisse, l'Autriche, la Roumanie, la France, l'Angleterre, la Serbie, pour ne nommer que ceux-ci. Il a complété des études en pédagogie à Cologne en 1992, études qu'il a jumelées à sa pratique artistique. Il enseigne l'art de la performance à la F+F School for Art and Design media de Zurich depuis 1998, ainsi qu'à la Estonian Academy of Arts, à Tallinn, depuis 2004. Les ateliers qu'il donne sur le concept de la performance artistique sont courus dans le monde entier.

BBB Johannes Deimling was born in 1969 in the city of Andernach in Germany. Since 1988, his work and performances have been seen in Germany, Poland, Switzerland, Austria, Romania, France, England, Serbia and elsewhere. He had completed his pedagogical studies in Cologne in 1992, studies he has combined with his work in performance art. Since 1998, he is working as a lecturer in performance art at the F+F School for Art and Design media, in Zurich, and at the Estonian Academy of Arts, in Tallinn, since 2004. His workshops on the concept of performance art are well known over the world and highly expected.

Nikolaus Geyrhalter

Né à Vienne, en Autriche, en 1972, Nikolaus Geyrhalter est réalisateur et scénariste de formation. Comptant à son actif plus d'une vingtaine d'œuvres documentaires, il choisit de mettre à l'avant-plan les mœurs et les réalités de divers coins du monde dans ses réalisations. Des œuvres documentaires qu'il a réalisées, mentionnons *Our Daily Bread* (2005) qui s'est vue attribuer le *Prix Grimme* (2008), le prix ÉcoCamera des *Rencontres internationales du documentaire de Montréal* (2006), une mention honorable lors du *Hot Docs Canadian International Documentary Festival* de Toronto (2006). En 2003, Markus Glaser, Michael Kitzberger et Wolfgang Widerhofer se joignaient à la maison de production de Geyrhalter. Depuis, leurs réalisations ne cessent de remporter des mérites (*The Robber*, sélectionné à la Berlinale en 2010 et *Michael*, production en lice au Festival de Cannes de 2011).

Nikolaus Geyrhalter was born in 1972 in Vienna and is a filmmaker and a scriptwriter by profession. He has made more than twenty documentary films, in which he examines the customs and realities of various corners of the world. Documentary films include *Our Daily Bread* (2005) who has won the *Grimme Prize* (2008), the EcoCamera Award at *Rencontres internationales du documentaire de Montréal* (2006), had an Honourable Mention, Special Jury Prize - International Feature - *Hot Docs Canadian International*

Documentary Festival in Toronto (2006). Markus Glaser, Michael Kitzberger and Wolfgang Widerhofer joined in 2003 the Geyrhalter's production company. Their realisations have been the subject of recognition since then (*The Robber*, selected in 2010 for the Berlinale, *Michael*, selected in 2011 for the Festival de Cannes).

William Jeffett

Titulaire d'un doctorat, William Jeffett est un spécialiste du surréalisme dans l'œuvre de Salvador Dalí et de Joan Miró. Il est actuellement conservateur en chef des expositions au Musée Salvador Dalí de St-Petersburg en Floride, aux États-Unis. Parmi les expositions qu'il a réalisées, mentionnons *Mabel Palacín: Una noche sin fin*, présentée en 2009 et 2010, *Dalí and the Spanish Baroque*, montrée en 2007, *A Century of Spanish Art: From Picasso to Plensa*, présentée en 2006. Il est en outre l'auteur de *Dalí and Miró circa 1928*, parue en 2003, et de *The Shape of Color: Joan Miró's Painted Sculpture*, parue en 2002. Il possède également une bonne connaissance de l'art contemporain espagnol et catalan.

William Jeffett holds a PhD and is a specialist of surrealism in Salvador Dalí and Joan Miró artworks. He is currently the Chief Curator of Exhibitions at the Salvador Dalí Museum in St. Petersburg, Florida. His curatorial credits include *Mabel Palacín: Una noche sin fin* (2009-2010), *Dalí and the Spanish Baroque* (2007), *A Century of Spanish Art: From Picasso to Plensa* (2006). As an author, he has written the books *Dalí and Miró circa 1928* (2003) and *The Shape of Color: Joan Miró's Painted Sculpture* (2002). He also has a great knowledge of Spanish and Catalan contemporary art.

Joseph Kohnke

Né en 1973 à Monterey, en Californie, aux États-Unis, Joseph Kohnke vit et travaille maintenant à Pasadena, en Californie. Il a effectué des études de maîtrise en beaux-arts à la School of The Art Institute de Chicago abordant principalement les arts et la technologie. Son travail se caractérise par la transformation d'objets usuels inertes en œuvres installatives animées. Par sa démarche, l'artiste crée des œuvres qui se veulent des véhicules communicationnels pour les diverses problématiques sociales contemporaines. Depuis 1997, il a présenté ses œuvres aux États-Unis, au Canada, en Corée et en Chine. Parmi ses dernières expositions individuelles, notons *Marked* présentée en 2008 à AAA, Centre de diffusion en art actuel, à Saint-Jean-sur-Richelieu. Il a également effectué une résidence d'artiste au Japon, en 2004.

Born in 1973 in Monterey, California, Joseph Kohnke lives and works in Pasadena. He earned an MA (2003) in visual arts with an emphasis in art and technology from the School of the Art Institute of Chicago. He transforms inert everyday objects into moving installations, creating works which seek to communicate ideas around various contemporary social issues. Since 1997, his work has been seen in United States, Canada, Korea and China. Recent solo exhibitions include *Marked* (2008, AAA, Centre de diffusion en art actuel, Saint-Jean-sur-Richelieu). He has had an artist residencie in Japan (2004).

Simon-Pier Lemelin

Simon-Pier Lemelin est né en 1978 à Rimouski. Il vit et travaille désormais à Chicoutimi où il enseigne et dirige le département d'arts et lettres au Cégep de Chicoutimi. Titulaire depuis 2007 d'une maîtrise en arts visuels de l'Université du Québec à Chicoutimi, il engage par ses œuvres une réflexion sur les mœurs de la société. Notons que son travail a entre autres été présenté à Caravansérail, à Rimouski (*Aller-Retour*, 2007), à la Pulperie de Chicoutimi (*Principe immatériel vital*, 2006-2007), ainsi qu'à Occurrence, espace d'art et d'essais contemporains, à Montréal (*Déjouer les (mots) maux*, 2006). Au nombre des événements auxquels l'artiste a participé, mentionnons 175 Nord, *Rencontres culturelles entre le Saguenay-Lac-Saint-Jean et Montréal*, présentée en 2011.

Simon-Pier Lemelin was born in 1978 in Rimouski. He now lives and works in Chicoutimi. He is the director of the Creative Arts, Literature and Languages Program at the Cégep de Chicoutimi. Holding an MFA (2007) from the Université du Québec à Chicoutimi, he has been examining in his work the more specific issues of identity and territory. His work has been seen in exhibitions such as *Aller-Retour* (2007, Caravansérail, Rimouski), *Principe immatériel vital* (2006-2007, Pulperie de Chicoutimi) and *Déjouer les (mots) maux* (2006, Occurence, espace d'art et d'essais contemporains, Montreal). Events include 175 Nord, *Rencontres culturelles entre le Saguenay-Lac-Saint-Jean et Montréal*, showned in 2011.

Shelly Low

Shelly Low est née à Montréal de parents chinois. Elle vit et travaille dans sa ville natale. Elle a complété en 2000 une maîtrise en arts visuels à l'Université Concordia, mais réalise ses projets depuis 1992. Parmi ceux-ci, mentionnons *Self-Serve at La Pagode Royale*, qui a été présenté à travers le Canada depuis 2004 et a fait l'objet d'un site Web. Dans sa production, l'artiste puise à la fois dans les expériences de ses parents immigrants et dans sa propre expérience hybride en tant que Sino-Canadienne pour aborder la nature inventée, éphémère et vague de l'identité culturelle. Notons que Shelly Low a participé à plusieurs expositions collectives, dont *Raw/Medium/Rare/Well Done*, présentée en 2009 à la FOFA, à Montréal. Signalons également qu'elle enseigne au niveau universitaire et collégial.

Shelly Low was born to Chinese parents in Montreal. She lives and works there. She earned an MA in visual arts from the Concordia University in 2000 but has been producing since 1992. *Self-Serve at La Pagode Royale* has been seen across Canada since 2004 and is the subject of a website. Her works are drawing from both the immigrant experiences of her parents and her own hybrid experience as a Chinese-Canadian addresses the invented, ephemeral and vague nature of cultural identity. Her numerous group shows include *Raw/Medium/Rare/Well Done* (2009, FOFA, Montreal). She also lectures in colleges and universities.

Geneviève Ouellet

Geneviève Ouellet est née à Montréal en 1978. Depuis 2007, elle est titulaire d'une maîtrise en muséologie de l'Université du Québec à Montréal, son travail dirigé abordant le rôle social des musées dans notre société. Elle est également titulaire d'un diplôme d'études supérieures spécialisées en gestion d'organismes culturels de HEC Montréal depuis 2009. En 2007, elle s'est jointe à l'équipe d'EXPRESSION à titre d'adjointe à la direction et de responsable de l'édition. Depuis 2010, elle collabore à divers projets et publications.

Born in Montreal in 1978, Geneviève Ouellet earned an MA in museology from Université du Québec à Montréal in 2007 with a thesis on the social role of museums in Quebec. She also earned a graduate diploma in cultural organisation management at HEC Montréal in 2009. She joined the EXPRESSION team as assistant to the director and head of publishing in 2007 and has contributed to a variety of projects and publications since 2010.

Troy David Ouellette

Troy David Ouellette vit et travaille à London, en Ontario. Il complète actuellement des études de doctorat à l'Université York, en Ontario. Depuis 2004, il enseigne le design et les arts au niveau collégial et universitaire dans des écoles situées à London, à Windsor et à Toronto, en Ontario. De 1999 à 2004, Troy David Ouellette a enseigné la sculpture au Banff Centre for the Arts, à Banff, en Alberta. À travers sa démarche, l'artiste étudie les rapports antagoniques entre éthique et abus, et ce, d'un point de vue artistique, social, culturel et philosophique. Actif dans le milieu des arts visuels depuis 1991, il a présenté son travail dans de nombreuses expositions au Canada, aux États-Unis et en Australie. Au nombre des expositions individuelles, mentionnons *Another Fine Mess*, présentée en Ontario, en 2007 à la LeBel Gallery de l'Université de Windsor. Il a également pris part à diverses expositions collectives, dont *At the Boundary of the Self*, montrée en 2010 à la Ontario College of Art and Design University, à Toronto.

Troy David Ouellette lives and works in London in Ontario. He is presently working towards a PhD from York University in Ontario. Since 2004, he has been teaching design and arts at various universities and colleges in London, Windsor and Toronto. He was a Sculpture Facilitator at the Banff Centre for the Arts in Banff, in Alberta, from 1999 to 2004. Ouellette's work examines the antagonist relationship between ethics and abuse, from an artistic, social, cultural and philosophic perspective. Working in the visual arts since 1991, he has been exhibiting widely in Canada, the United States and Australia, both solo, as in *Another Fine Mess* (2007, LeBel Gallery, University of Windsor, Ontario), and in group shows such as *At the Boundary of the Self* (2010, Ontario College of Art and Design University, Toronto).

Richard Purdy

Né en 1953 à Ottawa, Richard Purdy vit à Trois-Rivières, où il enseigne au département des arts visuels de l'Université du Québec à Trois-Rivières et où il dirige le Laboratoire de recherche création en arts sensoriels SAVEUR. Artiste multidisciplinaire, Richard Purdy est actif dans le milieu des arts visuels depuis 1975. Il a présenté plus d'une centaine d'expositions individuelles et a participé à une quarantaine d'expositions collectives. De ses récentes expositions individuelles, mentionnons *L'Écho-l'eau*, présentée en 2010 et 2011 à l'Espace Shawinigan et à Toronto, à l'occasion de l'événement d'art contemporain *La Nuit blanche*. En 2012, il présentera le projet *trOmbe* au Biodôme, Espace pour la vie, à Montréal. Soulignons également qu'en 1991, il a fondé *Les Industries Perdues* avec François Hébert et a réalisé 19 projets d'art public notamment présentés à l'Université de Montréal, à l'Université du Québec à Montréal et au Théâtre du Nouveau Monde, à Montréal.

Born in 1953 in Ottawa, Richard Purdy lives in Trois-Rivières and teaches visual arts at Université du Québec à Trois-Rivières. He is also the director of Laboratoire de recherche création en arts sensoriels SAVEUR. Working in the visual arts since 1975, he has exhibited in an hundred solo shows and as participated in forty group shows as a multidisciplinary artist. Solo shows include *L'Écho-l'eau* (2010-2011, Espace Shawinigan, Shawinigan and 2011, *La Nuit Blanche*, Toronto) and *trOmbe* (2012, Biodôme, Espace pour la vie, Montreal). In 1991, he has founded with François Hébert *Les Industries Perdues* and has realised 19 projects of public art showed at Université de Montréal, Université du Québec à Montréal, Théâtre du Nouveau Monde (Montreal).

CRÉDITS

Cette publication contribue aux fondements d'une réflexion sur les liens qu'entretient l'art contemporain et actuel avec les thèmes et les matériaux alimentaires. Elle témoigne de la troisième édition d'une manifestation d'envergure internationale, ORANGE, L'événement d'art actuel de Saint-Hyacinthe, qui s'est déroulée du 11 septembre au 25 octobre 2009.

La publication
Sous la direction de Geneviève Ouellet
Auteurs : Sylvette Babin, Marcel Blouin, William Jeffett, Geneviève Ouellet, Richard Purdy
Révision du français : Magalie Bouthillier
Révision de l'anglais : Marcia Couëlle
Traduction du français vers l'anglais : Timothy Barnard, Marcia Couëlle
Traduction de l'anglais vers le français : Colette Tougas
Secrétariat et administration : Francine Authier
Numérisation et traitement des images : Photosynthèse, Marcel Blouin
Direction artistique : Jean-François Proulx – Balistique
Design graphique : Billie-Anne Racine
Correction d'épreuves : Timothy Barnard, Geneviève Ouellet, Richard Théroux
Photographies de l'événement : Marcel Blouin p. 92-93, 156; Alain Chagnon p. 19, 32, 64, 79, 148, 163, 166; Nicolas Humbert p. 48, 60, 62-63, 67, 71, 79, 83, 91, 129, 132, 137, 143-144, 148; Guy L'Heureux p. 6-7, 10, 16, 24, 29, 36, 38-39, 44, 46, 50-52, 54-56, 58, 66, 70-71, 75, 78, 84, 86-87, 90, 136-137, 149, 153, 169; Daniel Roussel p. 13, 40, 42-43, 47, 51, 58-59, 66, 68, 72, 74, 76, 80, 82, 87-88, 90, 140, 148-149, 188-189, image de la couverture.
Impression : Transcontinental

L'événement
Commissariat : Sylvette Babin, Marcel Blouin, Geneviève Ouellet
Artistes : Thierry Arcand-Bossé, Griffith Aaron Baker, Dean Baldwin, Ron Benner, Michel Boulanger, Cosimo Cavallaro, Cédule 40, Daniel Corbeil, BBB Johannes Deimling, Nikolaus Geyrhalter, Joseph Kohnke, Simon-Pier Lemelin, Shelly Low, Troy David Ouellette
Direction générale : Marcel Blouin, Geneviève Ouellet
Assistance à la production : Marie-Christine Roy
Communication : Philippe L. Morissette, Geneviève Ouellet
Promotion : Geneviève Ouellet, Marie-Christine Roy
Éducation : Ana Maria Tanguay
Administration : Francine Authier
Conception graphique : Eveline Lupien
Conférences : Marie-Christine Roy
Projections : Marie-Christine Roy
Direction technique : Roger Despatie
Montage : Denis Aucoin, Laflèche Des Alliers, Pierre-Hugo Lemonde, François Rodrigue, Emmanuela Sicotte Brunet
Conception du site Web : Eveline Lupien, Richard Théroux
[expression.qc.ca/orange/2009]

Image de la couverture
[6] Cosimo Cavallaro. *I Was Here*, 2009.

**ORANGE, L'ÉVÉNEMENT D'ART ACTUEL
DE SAINT-HYACINTHE**
495, avenue Saint-Simon, Saint-Hyacinthe
(Québec) J2S 5C3
T 450 773.4209
F 450 773.5270
expression.qc.ca/orange/2009
orange@expression.qc.ca

Fondé en 2003, ORANGE, L'événement d'art
actuel de Saint-Hyacinthe, est un événement
d'envergure internationale dont la mission est
de promouvoir et de diffuser l'art contemporain et actuel à travers le thème de
l'agroalimentaire.

ISBN 978-2-922326-79-6
Dépôt légal
Bibliothèque et Archives nationales du
Québec, 2012
Bibliothèque et Archives du Canada, 2012
© Les artistes et leurs ayants droit pour les
œuvres
© Les auteurs pour les textes
© ORANGE, L'événement d'art actuel de
Saint-Hyacinthe pour la publication

Imprimé au Québec, Canada

La publication a été rendue possible grâce à l'appui financier du Conseil des Arts du Canada et du Conseil des arts et des lettres du Québec. L'événement a quant à lui été rendu possible grâce à l'appui de Patrimoine canadien, du Conseil des Arts du Canada, de Jeunesse Canada au travail, du Conseil des arts et des lettres du Québec, d'Emploi-Québec et de la Ville de Saint-Hyacinthe.

 Canadian Heritage Patrimoine canadien

Canadä

 Conseil des Arts du Canada

 YOUNG CANADA WORKS / Jeunesse Canada au travail

Conseil des arts et des lettres **Québec**

Ville de Saint-Hyacinthe